Les Brebis égarées

DU MÊME AUTEUR

Fou rire au parlement, Montréal, Les Éditions internationales Alain Stanké, 2003.

« La Vie à l'époque de Séraphin », l'album du film *Séraphin, un homme et son péché*, Montréal, Les Éditions internationales Alain Stanké, 2002.

Honteux personnages de l'histoire du Québec, Montréal, Les Éditions internationales Alain Stanké, 2002.

La Scandaleuse Nouvelle-France, Montréal, Les Éditions internationales Alain Stanké, 2002.

Les Premières Inventions québécoises, Montréal, Éditions Quebecor, 1994.

D'un pays à l'autre. Mille et un faits divers au Québec (1600-1900), Sainte-Foy, Éditions Anne Sigier, 1994.

En collaboration avec Luc Noppen et Jean Richard, *La Maison Maizerets – Le château Bellevue*, Québec, Éditeur officiel du Québec, 1978.

Peau aimée, Paris, Les paragraphes littéraires de Paris, 1976.

Guy Giguère

Les Brebis égarées

Des ancêtres vautrés dans le péché
(1600-1900)

Stanké

QUEBECOR MEDIA

Catalogage avant publication de Bibliothèque et Archives Canada
Giguère, Guy, 1953-
Les brebis égarées
ISBN 2-7604-0953-8

1. Québec (Province) — Mœurs et coutumes. 2. Scandales — Québec
(Province) — Histoire. 3. Canada — Mœurs et coutumes — Jusqu'à
1763. I. Titre.

FC2918.G532 2005   971.4   C2004-941946-3

Infographie et mise en pages : Ediscript
Maquette de la couverture : Christian Campana
Illustration de la couverture : Jean-Honoré Fragonard, *Le Verrou*
(détail), vers 1777

Les Éditions internationales Alain Stanké remercie le ministère du
Patrimoine canadien, le Conseil des arts du Canada, la Société de
développement des entreprises culturelles du Québec (SODEC) et le
Programme de crédit d'impôt du Gouvernement du Québec du soutien
accordé à leur programme de publication.

Les Éditions internationales Alain Stanké   Stanké international, Paris
7, chemin Bates   Tél. : 01.40.26.33.60
Outremont (Québec) H2V 4V7   Téléc. : 01.40.26.33.60
Tél. : (514) 396-5151
Téléc. : (514) 396-0440
editions@stanke.com

Dépôt légal :
1er trimestre 2005

ISBN : 2-7604-0953-8

Diffusion au Canada : Québec-Livres
Diffusion hors Canada : Interforum

À Isa-Alexandre
À François

N'est-il pas étrange que les hommes se battent
si volontiers pour la religion
et vivent si peu volontiers selon ses règles?
Georg Christoph Lichtenberg

INTRODUCTION

Un cas de bigamie éclate au grand jour à Montréal: le 1er août 1663, les autorités religieuses annulent le mariage de Pierre Bissonnette et de Mathurine Desbordes. Une enquête a démontré que Bissonnette était déjà marié avec Marie Allaire, encore bien vivante et demeurant en France.

Le 18 juillet 1770, la supérieure des ursulines se fait rabrouer par Mgr Jean-Olivier Briand parce qu'une religieuse novice a osé sortir du couvent... en pleine nuit.

Le 8 novembre 1870, Mgr Elzéar-Alexandre Taschereau émet un mandement spécial condamnant le journaliste et écrivain Arthur Buies: son journal, *La Lanterne*, est mis à l'index parce qu'il contient des propos blasphématoires et haineux envers l'Église catholique.

Le livre *Les brebis égarées* complète le projet d'une trilogie sur le thème d'ancêtres québécois qui ont manifesté un comportement totalement délinquant par rapport à de multiples obligations qu'imposait la vie en société de 1600 à 1900. Comme les deux autres volumes déjà publiés, ce livre démontre que nos ancêtres, au sujet de la moralité et du respect des règles de vie en société, n'étaient finalement ni meilleurs ni pires que leurs rejetons du XXIe siècle, et que plusieurs, comme de nos jours, avaient davantage de talent que les autres pour contrevenir à l'ordre établi par les lois.

Dans *La scandaleuse Nouvelle-France*, couvrant la période de 1668 à 1713, j'ai présenté des procès d'ancêtres qui avaient transgressé des lois civiles et criminelles. Certains de ces individus avaient été impliqués dans des affaires de mœurs. Isabelle Alure, par exemple, accusée, en 1668, d'avoir trompé son mari avec deux hommes. Ou Nicolas Daussy, reconnu coupable de sodomie par le tribunal, en 1691. Ou encore, en 1713, cette Louise Savaria, une veuve de Beauport, qui réclamait devant le tribunal une pension alimentaire, pour son enfant, aux parents de son jeune amant mineur et nouveau papa, Nicolas Giroux.

Dans *Honteux personnages de l'histoire du Québec*, nous avons vu que le comportement de certains héros et membres de l'élite, de 1600 à 1900, peut nous laisser complètement soufflés. Ainsi, en mai 1686, Pierre Le Moyne d'Iberville est accusé du viol d'une jeune Montréalaise, Geneviève Picoté. Quant à notre célèbre Madeleine de Verchères, elle fut la première à acheter légalement, le 15 juin 1709, un esclave, nommé Pascal. Et en mai 1870, le maire de Québec, Adolphe Tourangeau, s'enferme dans l'hôtel de ville pour protester contre sa défaite électorale.

Dans *Les brebis égarées*, vous découvrirez cette fois des ancêtres qui prenaient grand plaisir à défier les règles de l'Église catholique, préférant ainsi se vautrer délicieusement dans le péché et *fréquenter le diable*, selon l'expression consacrée. En cette matière, nous le verrons bien, un bon nombre de femmes et d'hommes ne furent pas des modèles de vertu, faisant mentir l'adage voulant que nos prédécesseurs aient eu davantage le sens des vraies valeurs et de la moralité. Devrions-nous plutôt faire le constat que cette chère nature humaine, à chaque époque, compte toujours des êtres vertueux et des êtres dépravés?

Ce livre, comme les deux autres, comprend des extraits de textes rédigés par des témoins directement impliqués dans les événements en cause. Cette formule, plus que toute autre, a l'avantage de permettre au lecteur de savourer les opinions de personnages de notre histoire ayant vécu intimement les faits présentés. Comme dans le contexte d'un journal télévisé, il est intéressant de connaître intégralement la version, même partiale, exprimée par les témoins oculaires.

Bonne lecture, et surtout bon voyage chez des ancêtres qui aimaient beaucoup le péché.

TERREUR ET MASSACRE DANS LA BASSE-COUR

Les poules de la basse-cour de l'Hôtel-Dieu de Québec passent un très mauvais quart d'heure quand la religieuse Catherine Chevalier se pointe à l'horizon et… saute une coche !

Catherine Chevalier, une sœur converse dont le nom religieux est sœur de la Passion, est originaire de la Normandie. Elle est la fille d'un bourgeois de la ville de Dieppe, Charles Chevalier, et de Catherine Langlois. Parties de Dieppe en mai 1639, les Révérendes Mères religieuses hospitalières arrivent à Québec le 1er août dans le but de fonder l'Hôtel-Dieu. Dans *Les Annales de l'Hôtel-Dieu de Québec*, on précise que cette femme fait partie du voyage : « Nous avions amené de France une servante nommée Catherine Chevalier qui avait fait vœu de nous servir dix ans en séculière et, après ce temps-là, nous devions lui donner l'habit en qualité de sœur converse. »

Plus tôt que prévu, soit en 1643, Catherine Chevalier obtient finalement le droit de porter l'habit de sa communauté, mais elle le perd aussitôt en raison d'un comportement pour le moins inquiétant :

Catherine Chevalier [...] faisait tous les jours de nouveaux progrès dans la vertu, et nous en étions si contentes que nous crûmes lui devoir donner le saint habit avant le terme qu'elle s'était prescrit, afin de lui fournir les moyens de servir Dieu d'une manière plus parfaite, étant engagée dans l'état religieux. Elle le reçut donc avec beaucoup de joie et de reconnaissance, et s'appliqua encore davantage à son avancement spirituel.

Mais peu de temps après, elle devint si excessivement dévote que l'esprit lui tourna, de sorte que ses fonctions de sœur converse l'obligeaient d'aller souvent dans notre basse-cour. Elle demandait à toutes les bêtes qu'elle rencontrait si elles aimaient Dieu, et voulaient qu'elles lui répondissent sans quoi elle les assommait, en disant qu'il fallait ôter du dessus de la terre toutes les créatures qui n'avaient point d'amour pour Dieu.

On comprend immédiatement que cette chère sœur avait davantage besoin d'être soignée que d'être sévèrement réprimandée :

Après avoir employé pour la guérir tous les remèdes humains et divins dont nous pûmes nous aviser [...] nous fûmes contraintes de lui ôter l'habit et de l'envoyer à Beauport, chez M. Giffard, notre bon ami, croyant que l'air de la campagne lui serait bon.

Ce séjour dans la famille Giffard fut-il salutaire pour Catherine Chevalier ? Il semble bien que si :

> Sitôt qu'elle y fut, on tâcha de la divertir et, en peu de temps, elle se remit si parfaitement que jamais elle ne s'en est sentie, et son esprit a toujours été depuis dans une très bonne assiette. Elle revint chez nous très disposée d'attendre que les dix ans fussent expirés.

Catherine Chevalier vivra fort longtemps, car elle décédera à l'âge vénérable de quatre-vingt-onze ans, le 20 octobre 1705.

Robert Giffard, époux de Marie Regnouard, est originaire de Tourouvre, en France, et il arrive à Québec le 31 mai 1634. Il est maître chirurgien et propriétaire de la seigneurie de Beauport. L'une de ses filles, Marie-Françoise, deviendra religieuse hospitalière, en 1646, et portera le nom de mère de Saint-Ignace ; elle est considérée comme la première religieuse d'origine canadienne. Robert Giffard fut le tout premier chirurgien de l'Hôtel-Dieu, en 1640.

PIERRE AIGRON, L'EXCOMMUNIÉ

Peu respectueux de ses créanciers, ce vilain garnement se moquera d'eux tout au long de sa vie. Mais l'outrecuidance manifestée envers son évêque lui attirera aussi les foudres de l'Église catholique : le 18 avril 1661,

Mgr de Laval, à bout de patience, rédige contre Aigron l'acte officiel de son excommunication.

Voyons d'abord quelques détails au sujet de cet individu qu'on pourrait qualifier de *Méchant Boris*. Baptisé le 1er novembre 1630, dans la paroisse de Saint-Étienne d'Aytré, en Charente-Maritime, il arrive à Québec le 6 août 1658. Le jeudi 18 janvier 1663, il épouse, à Québec, Marie-Madeleine Doucet, et ce couple aura six rejetons. Vers 1687, Pierre Aigron dit Lamothe décédera à Percé. Aigron exerça différents métiers : matelot, maître de barque[1] et, finalement, marchand.

Les archives du tribunal du Conseil souverain de la Nouvelle-France en font foi : la vie d'Aigron n'aura été qu'une enfilade de poursuites de créanciers engagées contre lui à partir de 1663 et jusqu'à son décès vers 1687. Il aurait peut-être mieux fait de s'aménager un appartement au palais de justice de l'époque, tellement il fut convoqué en ce lieu. Le généalogiste Michel Langlois précise d'ailleurs qu'en 1681, se voyant de plus en plus harcelé par ses créanciers, Aigron décide de fuir la région de Québec pour aller installer ses pénates à Percé. Selon un document du tribunal du Conseil souverain, daté du lundi 25 janvier 1683, Aigron, en quittant Québec, s'est moqué d'un ordre de l'intendant Duchesneau lui interdisant de « s'évader de ce pays pour aller s'habituer à Percé comme il a fait, nonobstant les défenses qui avaient été faites ». Voilà pour l'ensemble de son œuvre.

En 1661, il est excommunié de l'Église catholique par Mgr de Laval pour avoir fourni de nombreuses fois de l'alcool à des Amérindiens, contrevenant totalement à une ordonnance de l'évêque, promulguée en mai 1660, qui interdisait cette pratique.

Dès le début de son mandat en Nouvelle-France, Mgr de Laval se dit outré de voir les méfaits de l'alcool chez les Amérindiens et il livrera un combat acharné contre des Français qui leur en fournissaient allègrement. Prouvant le sérieux de sa croisade, Mgr de Laval demandera à deux reprises durant son mandat une opinion à d'éminents docteurs en théologie de la Sorbonne pour trouver des solutions. Les documents relatifs à ses consultations sont d'ailleurs publiés dans *Mandements, lettres pastorales et circulaires des évêques de Québec*. Cette démarche démontre bien que le principe de recourir à l'avis d'experts ne date pas d'hier.

Dans un document intitulé *Délibération de la Sorbonne sur les boissons enivrantes*, signé à Paris le 1er février 1662 par N. Comet et M. Grandin, on fait cette recommandation à l'évêque de Québec : « Les docteurs en théologie soussignés sont d'avis que vu les désordres qui arrivent de la vente de telles boissons [...] l'Ordinaire ou Prélat peut défendre, sous peine d'excommunication *ipso facto*, aux Européens la vente de telles boissons, et traiter ceux qui seront désobéissants et réfractaires comme des excommuniés. »

Produit à Paris le 8 mars 1675, le second avis provenant de la Sorbonne est très explicite sur les horreurs que l'abus d'alcool entraîne chez les Amérindiens, devenus des *clients* très dépendants de contrebandiers vraiment peu scrupuleux. Dans ce rapport, il est mentionné ceci : « Et pendant que cette eau-de-vie dure, toute la bourgade ne désenivre point, l'on y commet toutes sortes de désordres et d'abominations ; c'est une vraie image de l'enfer. » Non seulement de nombreux Français déplorent-ils ce fléau, mais les chefs amérindiens « ont présenté beaucoup de fois des requêtes au gouverneur et au Conseil [souverain] afin qu'il fût défendu de leur donner de la boisson, ayant une longue expérience des grands maux qu'elle produit parmi eux », précise-t-on dans ce même document.

À quoi ressemblent ces « grands maux » ? On donne cet exemple vraiment consternant :

Les femmes et les filles boivent aussi bien que les hommes, et les parents font boire jusqu'aux petits enfants, en sorte que pendant qu'ils ont de quoi à boire, ils vivent plutôt en bêtes qu'en hommes, et ne désenivrent point qu'ils n'aient bu tout ce qu'ils ont, et consommé ce qu'ils ont vaillant jusqu'à se dépouiller : et il s'en trouve de si malheureux, que n'ayant plus de quoi avoir de la boisson, ils abandonnent et prostituent leurs propres filles pour avoir de quoi boire ; d'où il s'en suit une confusion et des désordres incroyables dans leur nation et leurs familles.

Le rapport d'experts relate de pathétiques spectacles auxquels mène l'abus de consommation :

> Après s'être enivrés, ils se massacrent les uns les autres, se mutilent les membres à coups de hache et de couteau, rompent en morceaux, et brûlent leurs cabanes, et vont souvent jusqu'à cette furie de jeter leurs enfants dans le feu, et de les traîner par terre, et enfin de les faire mourir. L'on a vu le mari tuer sa femme, et la femme tuer le mari à coups de hache et de couteau étant ivres ; d'autres se noient et l'on en a trouvés qui étaient morts et crevés par la force de la boisson, ayant encore la bouteille à la main.

Pierre Aigron dit Lamothe étant impliqué jusqu'aux oreilles dans ce commerce illicite, aux grands maux les grands moyens : Mgr de Laval passe aux actes en rédigeant, le 18 avril 1661, une ordonnance intitulée *Excommunication contre Pierre Aigron pour avoir traité des boissons enivrantes aux Sauvages.*

À la lecture du texte, on est en mesure d'évaluer toute la patience manifestée par l'évêque à l'endroit de sa brebis égarée. Dans un premier temps, il précise qu'il a accepté de donner l'absolution à Aigron en échange « de sa promesse devant Dieu que jamais il ne retomberait à traiter des dites boissons enivrantes aux sauvages ». L'évêque indique cependant que, peu de temps après leur entente, des témoins lui ont malheureusement confirmé qu'Aigron continuait de fournir de l'alcool aux Amérindiens. Après cette rupture de contrat, Mgr de Laval l'a alors personnellement exhorté « une, deux, trois et quatre fois, avec toute la douceur à nous possible », de cesser son comportement.

Mgr de Laval précise avoir fait une ultime tentative « pour lui parler, désirant apporter nos derniers efforts pour le mettre à son devoir », mais la rencontre fut vaine, car Aigron aurait répondu « insolemment qu'il ne ferait rien ». En conséquence, le pasteur fait tomber la sentence :

> Avons, quoi qu'avec un extrême regret, excommunié et excommunions par ces présentes ledit Pierre Aigron, et dès à présent le retranchons du corps de l'Église, comme membre infect et gâté, le privant des prières et suffrages des chrétiens et de tout usage des sacrements, lui interdisons l'entrée de l'église pendant le divin service [la messe], et en cas qu'il meure dans la présente excommunication, ordonnons que son corps soit privé de sépulture et jeté à la voirie [...]. Admonestons [ordonnons] un chacun et tous les fidèles de ne le fréquenter, ni parler, ni saluer pour quelque occasion que ce soit, mais plutôt de le fuir, éviter, comme une personne maudite et excommuniée [...]. Et même au cas que le dit Pierre Aigron soit si téméraire et si imprudent que d'entrer dans aucune église pendant que l'on dira la sainte messe,

et que l'on fera le divin service, nous com-
mandons que l'on cesse le sacrifice de la
messe et tout autre service, jusqu'à ce qu'il
ait été chassé ou jeté dehors.

À l'époque, la dépouille des personnes jugées
indignes d'être enterrées dans le cimetière (celle des
suicidés, par exemple) était jetée à la voirie, c'est-à-dire
dans un dépotoir.

LA VAINE VANITÉ DES VANITEUX

Les citoyens de la paroisse Notre-Dame de Québec
exagèrent un tantinet dans leurs demandes quand
vient le temps d'organiser les funérailles de leurs
défunts. Pour freiner les élans démesurés, Mgr de Laval
publie, le 10 juillet 1661, un rappel à l'ordre officiel
intitulé *Règlements pour les enterrements et services
dans la paroisse de Québec*.

L'évêque donne ainsi suite à de nombreuses plaintes
formulées par le curé et les marguilliers. Précisons que
le curé de cette paroisse est Henri de Bernières, né à
Caen, en Normandie, vers 1635, et arrivé à Québec le
16 juin 1659, puis ordonné prêtre en mars 1660.
Durant vingt-cinq ans, il occupera également la fonction de supérieur du Séminaire de Québec.

Chose étonnante pour nous aujourd'hui, l'enterrement d'un défunt sous le plancher de l'église était une
pratique courante au XVIIe siècle. L'abus dénoncé par

les administrateurs de la paroisse Notre-Dame est que
«la plupart des habitants de ladite paroisse demandent, à l'envie l'un de l'autre, que leurs parents soient
enterrés dans l'église». Même à cette époque, il n'y
avait «rien de trop beau pour la classe ouvrière».

Les plaignants ont d'ailleurs rappelé à l'évêque que
l'église Notre-Dame, construite en 1647, ne constitue
pas un lieu idéal pour y faire des enterrements. D'une
part, elle n'est pas très grande, fait-on valoir, mais
surtout, comme les fondations sont érigées principale-
ment sur du roc, et non dans un sol meuble ou
terreux, cet inconvénient «serait cause dès à présent
d'une grande incommodité pour la mauvaise odeur
qui exhale des corps qui y ont été inhumés jusqu'à
présent». Précisons que cette église était située là où
se trouve de nos jours la basilique de Québec, le long
de la rue De Buade, dans le Vieux-Québec.

Toujours selon les plaintes du curé et des marguilliers, les paroissiens exigent des cérémonies funéraires
beaucoup trop onéreuses pour la fabrique, qui ne cesse
de s'endetter : trop de cierges sont utilisés et on veut
en plus la célébration de «messes hautes», ou grands-
messes, au lieu de l'office ordinairement prévu en ces
circonstances. Les dépenses occasionnées sont si
élevées que la fabrique ne peut plus couvrir les frais du
fossoyeur et du sonneur de cloches, précise-t-on dans
une requête adressée à l'évêque.

Ayant bien compris le message, Mgr de Laval sonne
le rappel à l'ordre «pour obvier à tous ces désordres et

empêcher un air contagieux et pestiféré qui serait à craindre si l'on continuait à l'avenir d'enterrer les corps avec la même facilité que par le passé dans ladite église de Québec ». Constatant que « la plupart des choses énoncées dans la Requête ci-dessus se demandent souvent plutôt par vanité et ambition que par dévotion », il maintient l'autorisation de faire des enterrements dans l'église, mais, à l'avenir, il faudra payer à l'avance aux marguilliers les frais du fossoyeur et du sonneur de cloches, ainsi que le coût des cierges.

Un document daté du 9 novembre 1690 donne une idée des coûts fixés pour un enterrement dans une église. Les sommes demandées sont relativement élevées, pour amener les paroissiens à choisir plutôt le cimetière, précise-t-on : 40 écus à Québec, 100 livres à Montréal, 60 livres à Trois-Rivières et 40 livres dans les paroisses des campagnes. Pour avoir une idée de la cherté de ce service, dans l'inventaire des biens de Philippe Rigaud de Vaudreuil, gouverneur de la Nouvelle-France, rédigé en juillet 1726, on indique que ses bestiaux et ses accessoires de ferme sont évalués à 304 livres.

Doit-on conclure que cette décision allait encore une fois permettre aux gens riches et célèbres de profiter du privilège d'un enterrement dans l'église paroissiale ? Oui et non. Oui, parce que les plus nantis pourront toujours assumer plus facilement que les autres la majoration des coûts relatifs à de tels services. Non, parce qu'il existera toujours des personnes bien fortunées qui seront des exemples de simplicité et de modestie en toutes circonstances. Voici d'ailleurs deux exemples éloquents.

Louis-Hector de Callière, qui fut gouverneur de Montréal, puis gouverneur général de la Nouvelle-France, décède le 26 mai 1703 à Québec. Dans son testament, daté de la veille, il déclare : « Ledit seigneur testateur a une singulière dévotion d'être inhumé et enterré en l'église des Révérends Pères Récollets de cette ville [Québec]. »

Par contre, Augustin de Saffray de Mezy, gouverneur de la Nouvelle-France de 1663 à 1665, mort à Québec dans la nuit du 6 mai 1665, avait précisé ceci dans son testament : « Veut et désire, ledit seigneur, que son corps soit enterré dans le cimetière des pauvres de l'hôpital de Québec. »

DES DÉBAUCHES INTERROMPUES

En 1663, un puissant tremblement de terre vient perturber le train-train quotidien des habitants de la Nouvelle-France. Dans *Les Annales de l'Hôtel-Dieu de Québec*, on rapporte que « vers les cinq heures et demie du soir du cinquième [jour] de février, on entendit dans toute l'étendue du Canada un frémissement et un bruit semblable à celui de deux armées qui se disposent au combat ». Cette première secousse sismique fut suivie par plusieurs autres : « Il recommença à neuf heures du soir et continua par de fréquentes secousses, les unes plus fortes que les autres, qui durèrent jusqu'au mois de septembre de la même année. »

Selon les informations obtenues par la religieuse ayant rédigé ce compte rendu, la secousse fut ressentie dans tout l'est de l'Amérique : « Ce qui doit paraître étonnant, c'est l'étendue de pays qui s'est senti de ce tremblement de terre, car l'île Percé, qui est à l'embouchure du fleuve Saint-Laurent, l'Acadie, la Nouvelle-Angleterre, et depuis Montréal jusqu'aux nations d'en haut dont nous avons connaissance, tous eurent part à nos frayeurs. »

Témoin de la catastrophe, cette religieuse a d'ailleurs pris le temps de noter les réactions des gens et l'ampleur des dégâts causés :

Des cris éclataient dans l'air et un bruissement sourd sortait du fond de la terre, des tourbillons de poussière s'élevaient comme des nuées ; il se mêla aussi un bruit, comme d'une grêle de pierres qui tombaient sur les toits, en sorte que ceux qui étaient dans les maisons, craignant d'être accablés, ne savaient ce qu'ils devaient faire [...]. La terre trembla ensuite et son mouvement fut si prodigieux dès cette première secousse que les cloches sonnaient toutes seules, les portes s'ouvraient et se refermaient d'elles-mêmes, les meubles se dérangeaient, les poutres et les planchers craquaient et on croyait que le feu pétillait dans les greniers et que tout allait être consumé dans ce grand incendie. Les croix qui étaient sur les églises se courbaient comme font les arbres quand il fait un grand vent [...]. Ce premier coup dura bien une demi-heure pendant laquelle tout le monde crut que la terre allait s'entrouvrir. Enfin, le saisissement et l'effroi fut si général que non seulement les hommes étaient dans la consternation, mais toute la nature gémissait, les bêtes criaient d'une manière pitoyable.

Cette tragédie eut cependant pour bienfait d'améliorer la moralité publique, selon l'observatrice. Celle-ci précise en effet que « tous étaient remplis de crainte et surtout ceux qui sentaient leur conscience chargée de crimes et qui en avaient augmenté le nombre pendant le carnaval ; cela arrêta le cours de leurs débauches et changea bien leur divertissement ». Et la religieuse d'ajouter :

> Jamais il ne se fit de confessions plus sincères ni accompagnées de tant de marques d'une véritable contrition ; tout prêchait la pénitence et les larmes, chacun était pénétré de componction [repentir] et ne songeait qu'au jugement de Dieu. On s'y préparait comme devant bientôt y comparaître. Plusieurs communiaient, comme si ce devait être la dernière fois de leur vie, et le temps du carême ne fut jamais passé plus saintement parce que l'on se voyait à chaque moment sur le point

d'être abîmé et que l'épouvante générale faisait rentrer tout le monde en soi-même.

Outre les catastrophes naturelles, d'autres types d'événements provoquent automatiquement de l'insécurité et des craintes dans la population. Comme par magie, la menace engendre une ferveur religieuse plus affirmée et fait revenir les brebis au bercail. En 1711, toujours dans *Les Annales de l'Hôtel-Dieu de Québec*, une religieuse écrit ceci :

> La crainte de tant de malheurs dont nous étions menacés [une invasion possible des Anglais] produisit de bons effets pour un temps : les dames en redevinrent plus modestes, elles renoncèrent à plusieurs ajustements et se rendirent plus exactes aux devoirs de la vie chrétienne ; les demoiselles firent des neuvaines publiques ou elles avaient leur jour marqué pour communier. À Montréal, elles enchérirent sur Québec, car elles s'obligèrent par vœu à ne point porter de rubans ni dentelles, à se couvrir la gorge et à s'acquitter fidèlement de plusieurs saintes pratiques qu'elles s'imposèrent pendant un an.

L'annaliste fait référence à la tentative d'invasion de la Nouvelle-France par les Anglais. En septembre 1711, l'amiral Hovenden Walker se dirige sur Québec, avec des navires de guerre et une armée d'environ 17 000 hommes. Cette expédition tourne à la catastrophe quand, dans une tempête sur le fleuve Saint-Laurent, plusieurs vaisseaux vont se briser sur des récifs de l'île aux Œufs, en aval de la ville de Québec. Les pertes subies forcent alors Walker à rebrousser chemin.

L'ARGENT TOMBE DU CIEL

En 1677, il se produit un phénomène pour le moins médusant chez les sœurs de l'Hôtel-Dieu de Québec : une religieuse prétend qu'au cours d'une nuit la Sainte Vierge a doublé une somme d'argent se trouvant dans un coffret. Chacun ayant droit à son opinion, les plus croyants y verront une action miraculeuse de la mère de Jésus ; les plus sceptiques et les méchantes langues penseront que cette pauvre sœur en avait, selon l'expression populaire d'aujourd'hui, fumé du bon…

Dans *Les Annales de l'Hôtel-Dieu de Québec*, on mentionne que la supérieure de la communauté, la Révérende Mère René de la Nativité, voulait absolument contribuer financièrement au projet du père jésuite Chaumonot qui désirait construire une chapelle pour les Hurons de Lorette, un lieu situé au nord de la ville de Québec :

> Cependant, elle ne crut pas que notre communauté put s'appauvrir en donnant quelque chose à la reine du ciel. C'est pourquoi elle promit au père Chaumonot 25 écus qu'elle avait dans une cassette. C'était là tout notre argent et, comme il était fort rare, chacun

savait bien son compte. Elle alla donc dès le lendemain ouvrir sa cassette pour envoyer son offrande, mais au lieu de 25 écus, elle en trouva 50. Sa surprise fut agréable et elle ne douta point que cette augmentation ne fût miraculeuse. Ainsi, elle écrivit au père Chaumonot qu'elle lui avait promis 25 écus, parce que certainement elle n'en avait pas davantage, mais, puisque la très Sainte Vierge les avait multipliés au double, elle en profiterait et qu'elle lui envoyait la somme entière qu'elle avait trouvée.

Dans ses mémoires, Chaumonot confirme avoir reçu les 50 écus de la supérieure des hospitalières. Voici ses commentaires sur cette affaire :

> La Mère de la Nativité, supérieure des Religieuses Hospitalières de Québec [...] voulut aussi donner autant pour contribuer à une si bonne œuvre. Elle m'ajouta même qu'elle aurait bien voulu donner le double, mais que dans sa cassette, où était l'argent qu'elle avait à sa disposition, elle n'avait plus que 75 livres. Cependant, le lendemain, l'ayant ouverte, elle en trouva 150, ce qu'elle a pris pour un miracle dont elle a voulu que la mère de Dieu profitât en m'envoyant 50 écus au lieu de 25.

Comme en fait foi le texte de Chaumonot, son projet de chapelle se réalisa : « Au reste, on travailla avec tant de diligence à bâtir cette chapelle de Lorette, qu'en n'ayant été commencée que vers la Saint-Jean [24 juin] en 1674, elle fut ouverte et bénite la même année le 4 novembre. »

Né le 9 mars 1611, en Bourgogne, et ordonné prêtre en 1637, Pierre-Joseph-Marie Chaumonot est le fondateur de la mission de Notre-Dame-de-Lorette. Il est mort à Québec le 21 février 1693.

LE BAPTÊME RETARDÉ

Le 21 octobre 1681, Mgr de Laval rédige un document qui, lors de sa réception, ne fera pas du tout plaisir à Jean Dumets et à son épouse, Jeanne Voidy. En plus de dénoncer au grand jour ce papa et cette maman pour ne pas avoir fait baptiser chrétiennement leur enfant, il leur interdit de mettre désormais les pieds dans une église et de recevoir des sacrements tant que la situation ne sera pas corrigée.

Jean Dumets, appelé parfois Demers, est né en Normandie, dans la paroisse de Saint-Jacques. Le lundi 9 novembre 1654, à Montréal, il épouse Jeanne Voidy, originaire de Saint-Germain-du-Val, en Anjou. Ils auront douze enfants. En 1666, le couple va s'établir dans la seigneurie de Lauzon. Au moment du recensement de la colonie, en 1681, Dumets est âgé de cinquante ans et son épouse en a quarante-trois. Tous les deux mourront à Québec au cours de l'année 1708.

Si l'évêque adresse une semonce à des bonnes âmes de son diocèse au sujet du baptême de leur nouveau-né, doit-on conclure que nos premiers ancêtres s'avéraient négligents et délinquants en cette matière? Chose certaine, durant son mandat, Mgr de Laval publiera deux ordonnances visant à régler ce problème.

La première, datée du 29 mars 1664, s'intitule *Ordonnance sur l'administration du sacrement de baptême*. Le prélat demande aux curés de lire son texte à leurs paroissiens durant le sermon de la messe dominicale « afin que personne ne prétende cause d'ignorance du temps [moment] auquel les enfants doivent être baptisés ». En introduction, Mgr de Laval déclare qu'il doit intervenir en raison « des abus qui se commettent au regard du sacrement de baptême ». Il exige que les parents fassent baptiser leurs enfants le plus tôt possible après leur naissance et interdit une pratique qui semble très répandue : l'ondoiement[2] fait à la maison. Il rappelle que l'ondoiement n'est permis que s'il y a un réel danger de mort du nouveau-né et, dans un tel cas, il donne huit jours pour le faire baptiser à l'église. En conclusion, Mgr de Laval rappelle que les contrevenants s'exposent à « encourir les censures de l'Église ».

Treize ans plus tard, le 5 février 1677, il publie une seconde ordonnance dénonçant le même problème. Il déplore les abus qui persistent et annonce cette fois que la punition pourra aller à jusqu'à l'excommunication.

Quatre ans plus tard, soit le 21 octobre 1681, l'évêque est à bout de patience et un couple va subir les colères de leur pasteur, qui le dénonce dans cette autre ordonnance :

> Nous ayant été rapporté que le nommé Jean Dumets et sa femme habitants de la Côte de Lauzon, contre notre ordonnance du 5 février 1677 qui oblige les pères et mères de faire baptiser leurs enfants aussitôt leur naissance, ont fait refus nonobstant qu'ils aient été admonestés [avertis] par trois fois différentes, par notre Grand Vicaire, par le sieur Ballet prêtre, et en dernier lieur par le sieur Morel […] qui nous ont confirmé qu'ils demeurent toujours dans leur opiniâtreté ; Nous, en conséquence du dit refus, et qu'il y a près d'un mois que leur enfant est venu au monde, sans avoir reçu le saint Baptême, ordonnons au dit Jean Dumets et sa femme de faire porter leur dit enfant sans aucun délai dans l'église de Saint-Joseph de leur district pour y recevoir le saint Baptême.

La question est posée : le couple va-t-il finalement obéir à l'évêque ? La réponse est positive. L'enfant dont il est question dans cette affaire est le douzième et dernier de cette famille. Prénommé Michel, il est né à Lauzon le 31 août 1681 et fut baptisé non pas en l'église de Lauzon, comme le voulait l'évêque, mais à Québec, comme il est précisé dans le registre de la paroisse Notre-Dame : « Le vingt-sixième du mois de novembre mil six cent quatre-vingt-un, par moi prêtre soussigné missionnaire de la Côte de Lauzon, a été baptisé dans la maison d'André Bergeron, Michel Demers, fils de Jean Demers et de Jeanne Voidy sa femme. » Ce Michel Demers aura une assez courte vie, comme on l'apprend dans l'acte de sépulture consigné dans le registre de la paroisse de Saint-Nicolas : « Michel Demers, âgé de 19 ans, mourut chrétiennement le 21 février 1701 et fut enterré au cimetière par monsieur Basset. »

Originaire de Lyon, en France, Jean Basset fut ordonné prêtre à Québec en 1675 et desservit plusieurs paroisses ; il décéda le 21 novembre 1715.

DOUX JÉSUS : DEUX BIGAMES !

Ce n'est pas une, mais bien deux chères épouses que s'offre le premier Bissonnette en Nouvelle-France : il se rend au pied de l'autel pour se marier devant Dieu et les hommes avec Mathilde Desbordes, alors que ce sacripant est déjà marié avec Marie Allaire.

Pierre Bissonnette est né vers 1626, dans le Poitou, dans la paroisse de Saint-Pierre. Le généalogiste Michel Langlois apporte des précisions sur ce personnage qui s'établit d'abord à Montréal :

> Il est à Montréal le 20 décembre 1658 et passe un bail de location du moulin à vent, sur le Coteau Saint-Louis à Ville-Marie,

appartenant à la Compagnie de Montréal. Le contrat précise qu'il devra couvrir pendant cette période un an des trois ans qu'il est tenu de servir à Ville-Marie, suite à un contrat passé devant les notaires de La Rochelle. Pour ce bail, il doit verser 400 livres en argent ou en castor. Le moulin du Coteau Saint-Louis tourne bien, puisque le 28 juillet 1659, il s'adjoint Bertrand de Rennes qui s'engage à travailler au moulin tous les jours de fête et les dimanches qu'il fera vent, moyennant six minots de blé et sa nourriture jusqu'à la fête de Noël. Il continue son travail au moulin du Coteau Saint-Louis et loue même, pour trois ans, une terre de Gilles de Lauzon située à cet endroit.

Une fois bien établi ici, pourquoi alors ne pas se marier et fonder une petite famille ? C'est le projet qu'il concrétise avec Mathurine Desbordes, la veuve de Pierre Guiberge. Le 24 avril 1660, on signe le contrat de mariage chez le notaire Bénigne Basset et, le 3 mai suivant, la cérémonie de mariage a lieu dans l'église de Ville-Marie. En avril 1661, un premier enfant vient au monde, prénommé Jacques.

Mais il n'est pas rare que notre passé nous rattrape ; un jour, tout finit par se savoir. Voici que des rumeurs circulent au sujet de Pierre Bissonnette et, le 1er août 1663, le curé de Montréal, Gabriel Souart, convoque des témoins qui le confirment : Bissonnette est déjà marié avec une dénommée Marie Allaire qui vit toujours en France, à Poiré-sur-Vie, en Vendée. Un premier témoin, nouvellement arrivé au pays, dit très bien connaître Bissonnette ainsi que sa première épouse. D'autres témoins confient au curé que, lors d'une rencontre de voisins, chez un dénommé Lauzon, Bissonnette aurait avoué être encore marié avec Marie Allaire. Dans un document retrouvé par l'ethnologue Robert-Lionel Séguin, on apprend la raison – donnée par Bissonnette lors de l'enquête – pour laquelle il a délaissé son épouse : « Il avoua qu'il avait quitté sa femme de France à cause qu'elle avait le nom [réputation] d'être sorcière. »

C'était prévisible, la seconde épouse demande à l'évêque, Mgr de Laval, l'annulation de son mariage avec son gigolo de Bissonnette, ce qui est fait le 1er août 1663, tel qu'il est indiqué dans le registre de la paroisse Notre-Dame de Montréal. Une fois libérée de son arnaqueur matrimonial, Mathurine ne restera pas célibataire très longtemps, car elle se marie dès le 16 août suivant avec le maçon Michel Bouvier, avec qui elle aura quatre enfants.

Après cette mésaventure matrimoniale, Bissonnette va s'établir dans la région de Québec. Le 25 juin 1665, il est meunier au moulin des jésuites, à Charlesbourg. Le 9 octobre 1668, Marie Allaire étant décédée en France, il épouse Marie Dallon, à Québec, et le couple aura sept enfants. En plus d'acheter et de revendre des terres agricoles, Bissonnette sera le meunier de plusieurs moulins de la région de Québec : à Charlesbourg, à Sillery, à Cap-Rouge, à l'île d'Orléans, à Château-Richer et à Québec. Il mourra à l'âge de soixante-six ans, à Lauzon, le 7 août 1687.

Afin de s'assurer que les hommes et les femmes qui quittent la France pour venir s'établir ici n'abandonnent pas là-bas, comme Pierre Bissonnette, un ou une conjointe, et pour être certain que ces nouveaux citoyens répondent aux conditions requises pour se marier, Mgr de Saint-Vallier publie, le 16 février 1691, une ordonnance à ce sujet:

> L'expérience ayant fait voir qu'il se trouve des personnes venues de France qui demandent à se marier en Canada, sans qu'elles puissent prouver qu'elles n'ont point contracté mariage en d'autres lieux, ou que la personne avec qui elles l'ont contracté soit morte; Nous voulons, pour obvier aux inconvénients qui pourraient arriver, que les personnes ci-dessus ne soient point reçues au sacrement de mariage [sans] qu'elles ne produisent des certificats légalisés et en forme, venus de France, ou autres témoignages assurés et approuvés de Nous ou de nos Grands Vicaires, qu'ils ne sont point actuellement mariés.

Le pouvoir colonial civil va aussi se préoccuper de ce problème. Jean Talon, alors intendant de la Nouvelle-France, fait des recommandations à ce sujet à son patron, le ministre Colbert, quand il lui fait parvenir son *Mémoire de Talon sur le Canada*, le 10 novembre 1670:

Si le Roi fait passer d'autres filles ou femmes veuves de l'ancienne en la Nouvelle-France, il est bon de les faire accompagner d'un certificat de leur curé ou du juge du lieu de leur demeure qui fasse connaître qu'elles sont libres et en état d'être mariées, sans quoi les ecclésiastiques d'ici font difficulté de leur conférer ce sacrement. À la vérité, ce n'est pas sans raison, deux ou trois doubles mariages s'étant ici reconnus. On pourrait prendre la même précaution pour les hommes veufs.

Dans le prochain cas, l'égarement de la brebis Pierre Picher sera davantage dramatique et bien involontaire de sa part. Voici sa rocambolesque histoire.

Né vers 1636 à Saint-Georges de Faye-la-Vineuse, en France, Pierre Picher dit Lamusette épouse Marie Lefebvre. Dans le but de s'établir en Nouvelle-France, il arrive d'abord seul à Québec, au printemps de 1662, avec l'intention de faire venir plus tard sa douce moitié.

Lorsque aura lieu l'enquête, dans cette affaire de bigamie, Pierre Picher affirmera avoir reçu, en 1662, une lettre de son frère, Louis Picher, lui annonçant une triste nouvelle : la mort de sa conjointe.

Après quelques années de célibat, Pierre Picher se met à fréquenter Catherine Durand, et l'épouse le 25 novembre 1665, à Québec. Catherine accouche d'un premier enfant, Jean-Baptiste, le 24 octobre 1666.

En 1668, le couple a un deuxième enfant, Adrien. Le troisième, Marie-Madeleine, naît le 15 novembre 1670.

En 1671, ce n'est pas l'arrivée d'un quatrième enfant qui préoccupe le couple Picher-Durand, mais une nouvelle stupéfiante : un homme qui arrive de France apprend à Pierre Picher que sa première femme est toujours bien vivante ! La question est brutalement posée : comment résoudre cette catastrophe tombant comme une tonne de briques sur la tête des personnes impliquées dans cette affaire ?

Suivant les conseils de son évêque, Mgr de Laval, Picher se rend en France pour aller chercher sa première épouse et l'amener à Québec. Le couple monte à bord d'un navire dont le capitaine est un dénommé Poulet. Décidément, Picher était né pour une vie teintée de fortes émotions : durant la traversée, Marie Lefebvre meurt.

Le 9 septembre 1673, l'Église réhabilite le second mariage de Picher et, le 11 septembre, le tribunal du Conseil souverain, dans son jugement signé par Frontenac, le rend légal :

> Le Conseil a légitimé et légitime les enfants issus dudit Picher et de ladite Catherine Durand, et les a déclarés habiles à leur succéder, a ordonné et ordonne que le contrat de mariage passé entre ledit Picher et ladite Durand sortira son plein et entier effet.

Au cours de leur vie matrimoniale, le couple aura eu huit enfants. Pierre Picher est décédé en octobre 1713, à Saint-Sulpice, et Catherine Durand a rendu l'âme vers 1717.

La procession des prétentieux

Une guerre de protocole sévit dans la paroisse Notre-Dame de Québec entre des officiers de l'armée et les marguilliers au sujet des processions religieuses et, dans cette bataille de coqs de village, on ira même jusqu'à se taper joyeusement sur la gueule. L'évêque n'a plus le choix : le 5 mars 1661, pour calmer les esprits, il impose la suspension de cette activité, le temps de refroidir les bouillants caractères de mâles gonflés à bloc et de tenter de conclure un arrangement entre les belligérants.

À l'époque de nos premiers ancêtres, les processions comptent parmi les manifestations religieuses courantes. L'une des plus connues est celle de la Fête-Dieu, qui a lieu au printemps. À quoi ressemble concrètement une procession ? De passage ici en 1749, le voyageur et homme de science suédois Pehr Kalm a noté dans son journal personnel une description d'une procession dédiée à la Vierge Marie :

> Celle qui a lieu chez les catholiques de Québec est assez splendide en son genre. Selon leur croyance, c'est à cette époque-ci de l'année que Marie aurait été élevée au ciel.

Ils se rendent en procession d'une église à l'autre à travers toute la ville; le peuple se rassemble en foule pour y assister, comme s'il n'avait jamais vu cela auparavant, et l'on dit qu'il aime toujours bien se regrouper en de semblables occasions.

La procession se déroule de la façon suivante : tout en avant, deux petits garçons, portant chacun une clochette à la main, qu'ils agitent continuellement; ensuite un homme portant une bannière qui ressemble presque à un tableau et sur laquelle on peint, d'un côté, Notre-Seigneur en croix et, de l'autre, la Vierge Marie [...]. Viennent ensuite les récollets, des religieux habillés de soutanes noires [...] de chaque côté de la croix se trouve un prêtre porteur d'un grand cierge de cire; derrière eux viennent de petits garçons d'environ dix à douze ans, vêtus de tuniques rouges et de surplis blancs, et coiffés d'un béret rouge en forme de cône [...]. Viennent ensuite les prêtres, les premiers en aubes blanches, les autres en chapes de soie dont la plupart sont de couleurs bariolées et qui descendent jusqu'à terre.

Vient ensuite un prêtre porteur d'un encensoir, qui balance continuellement et qui fume. Derrière le thuriféraire, vient une statue de la Vierge Marie, posée à l'intérieur d'une petite châsse portée par deux prêtres

[...]. Viennent ensuite les dignitaires ecclésiastiques, vêtus des mêmes chapes de soie que les prêtres ; puis l'évêque, revêtu de ses ornements pontificaux et la crosse d'argent en main. Derrière l'évêque, les gens du gouverneur général, le fusil sur l'épaule, puis le gouverneur général lui-même et le général Galisonnière marchant de front ; enfin un groupe de notables et une grande foule de gens qui ferment la marche. Près du château [le château Saint-Louis, la résidence du gouverneur], les soldats se tiennent en armes et les tambours se font entendre au passage de la procession, les pièces des remparts [les canons] tirent des coups, comme on fait toujours à l'occasion des processions. Ceux qui se trouvent sur son passage tombent à genoux lorsque la statue de la Vierge Marie arrive à leur hauteur. [...] Ainsi passe la procession, au tintement des cloches, d'une église à l'autre, le long des rues. Tout le clergé chante en marchant.

Mais qu'est-il arrivé de si dramatique pour que l'évêque soit obligé de suspendre les processions ? Comme le déplore Mgr de Laval lui-même dans son ordonnance du 5 mars 1661, des individus en sont venus aux coups pour occuper un rang plus prestigieux dans le cortège d'une procession ! « Quelques particuliers, par voie de fait, ont déjà par deux diverses fois pris le pas [se sont placés] devant eux dans l'église et avec scandale », précise-t-il.

Selon une recherche de Pierre-Georges Roy, à partir de 1660 les officiers militaires réclament des honneurs plus importants que ceux des marguilliers et considèrent qu'ils doivent marcher devant ces derniers dans une procession religieuse. Pour contrer ceux qui veulent « renverser l'ordre ci-devant établi et menacent, de violence et de force, si on veut les empêcher » de le faire, l'évêque rédige l'ordre suivant :

> Nous avons jugé qu'il serait plus expédient de ne faire aucune procession jusqu'à ce que l'on se soit accordé en cette affaire concernant le droit à un chacun [des uns et des autres]. Pour ces causes, Nous avons interdit et interdisons toutes les processions jusqu'à ce que nous en ayons autrement ordonné, et mandons [demandons] à celui qui a soin de la paroisse de Québec qu'il fasse publier notre mandement à la grand-messe.

Pas très heureux de l'affront subi de la part des officiers militaires, les marguilliers portent officiellement plainte à nul autre que le roi de France. Le 2 mars 1668, rapporte Pierre-Georges Roy, Louis XIV règle le conflit en donnant raison aux marguilliers, dans un document qu'il écrit dans son château de Saint-Germain-en-Laye :

> Sa Majesté voulant empêcher qu'un pareil scandale ne puisse plus arriver, Sa dite Majesté a ordonné et ordonne que dans toutes les processions et autres cérémonies

qui se feront à l'avenir, soit dedans ou dehors
des églises, tant cathédrale que paroissiale du
dit pays, le gouverneur général, ou le gouverneur particulier de chaque lieu, marchera
le premier après les officiers de la justice et
ensuite les marguilliers, sans que les officiers
des troupes, qui sont ou pourront être ci-
après au dit pays, puissent prétendre aucun
rang dans les dites processions et autres cérémonies publiques.

La Hontan peste contre les curés

Louis-Armand de La Hontan en a plein la soupière
du comportement des curés de la Nouvelle-France et,
dans son journal personnel, il se défoule copieusement
en rédigeant une charge féroce et très épicée à leur
sujet.

Né le 9 juin 1666 en France, La Hontan précise être
arrivé à Québec le 7 novembre 1683 à l'âge de dix-
sept ans, à bord du navire *Tempête* qui était parti de La
Rochelle le 29 août. Militaire de carrière, on lui confie
différentes missions dans les environs de Montréal et
des Grands Lacs, et finalement à Plaisance. Il retourne
en Europe en 1693, où il s'éteindra vers 1716. Nous
lui devons d'intéressants ouvrages faisant, entre autres,
la description du mode de vie des premiers Québécois
en Nouvelle-France, dont deux publiés chez un
éditeur d'Amsterdam : *Voyages du baron de La Hontan
dans l'Amérique Septentrionale*, en 1705, et *Suite du*

voyage de l'Amérique ou Dialogues de monsieur le baron de La Hontan et d'un Sauvage dans l'Amérique, en 1704.

En ce 28 juin 1685, quelle mouche a pu piquer si vivement la susceptibilité de ce monsieur? En lisant la version intégrale de son défoulement, vous découvrirez la raison de son texte au vitriol:

> Vous avez en Europe au moins les divertissements du carnaval, mais ici, c'est le carême perpétuel. Nous avons un bigot de curé dont l'inquisition est toute misanthrope. Il ne faut pas penser, sous son despotisme spirituel, ni au jeu, ni à voir les dames, ni à aucune partie d'un honnête plaisir. Tout est scandale et péché mortel chez ce bourru. Croiriez-vous qu'il a refusé la communion à des femmes du premier rang [classe sociale] pour une simple fontange de couleur? Le pis, c'est qu'il a des espions partout, et quand on a le malheur d'être sur ses tablettes, il vous envoie publiquement du haut de sa chaire une sanglante censure; jugez si un honnête homme peut s'accommoder de cela. « N'y a-t-il point de remède? », direz-vous. Aucun. Le gouverneur n'oserait s'en mêler, les dévots ont le bras trop long [...]. Ne vous imaginez pas que ces prêtres bornent leur autorité aux prédications et aux mercuriales dans l'Église, ils persécutent jusque dans le domestique et dans l'intérieur des maisons.

C'est trop peu pour leur zèle que d'excommunier les masques, ils les poursuivent comme on poursuivrait un loup, et, après avoir arraché ce qui couvre le visage, ils vomissent un torrent de bile contre ceux qui s'étaient déguisés. Ces argus ont toujours les yeux ouverts sur la conduite des femmes et des filles ; les pères et les maris peuvent dormir en toute assurance, et s'ils avaient quelque chose à craindre, ce ne serait que de la part de ces vigilantes sentinelles. Pour être bien dans leurs papiers, il faut communier tous les mois, et de peur que les catholiques au gros sac n'enfreignent le précepte de se confesser au moins une fois l'année, chacun est obligé de donner à Pâques un billet de son confesseur. Mais toutes les vexations de ces perturbateurs, je n'en trouve point de plus insupportable que la guerre qu'ils font aux livres. Il n'y a que les volumes de dévotion qui vont ici tête levée : tous les autres sont défendus et condamnés au feu. Que j'étais dernièrement dans une grande colère contre mon fat de curé ! Lorsqu'il était chez mon hôte en mon absence, il entra hardiment dans ma chambre et, ayant trouvé sur ma table un Pétrone, il lui casse bras et jambes, il en déchire tous les feuillets prétendus scandaleux. Revenu au logis et m'apercevant du ravage, je ne me possédais pas […]. Enfin la fureur me saisit, je voulais courir chez le bourreau, et si l'on ne m'avait retenu, je crois qu'il lui aurait coûté cent poils de la barbe pour chaque feuillet de mon livre.

L'ENSORCELEUR DE RELIGIEUSES

En 1691, les religieuses de l'Hôtel-Dieu de Québec réalisent un projet : la construction d'une nouvelle étable pour leurs animaux. Mais voici qu'un loup se serait introduit subrepticement dans la bergerie, car un ouvrier a tenté de jeter un mauvais sort à des religieuses. « Il arriva une chose, pendant que l'on bâtissait l'étable, qui mérite avoir place dans cette histoire », relate-t-on dans les annales de cet hôpital. Le drame est qu'« un des ouvriers qui y travaillaient, sans que nous le connussions pour ce qu'il était, prit le dessein d'ensorceler les religieuses ».

Cet homme a-t-il réussi à corrompre les brebis blanches de Notre Seigneur ? Au grand soulagement de la communauté, le loup ne fit pas mouche. Sa première proie fut la supérieure des novices : « Il se mit plusieurs fois en devoir de l'accomplir et ce fut par ma Sœur Marguerite du Précieux Sang qu'il voulut commencer. » Voici comment cette religieuse fut protégée : « Toutes les fois qu'il approchait d'elle, il se sentait repoussé par une force invisible, de manière qu'il lui fut impossible de venir à bout de son projet. »

Ce prédateur s'avérait sérieux dans sa démarche, car les religieuses ont appris que « ce fut lui-même qui le déclara à son confesseur avant que de mourir, en s'accusant apparemment du commerce qu'il avait eu avec le diable». Pour conclure le récit de cette mésaventure, la rédactrice explique pourquoi sa communauté fut finalement préservée du diable :

> Nous en fûmes pénétrées de reconnaissance et nous redoublâmes notre dévotion pour en remercier Notre Seigneur et sa sainte Mère, car nous lui attribuons avec raison la délivrance ou plutôt la préservation de tous les maléfices, parce que quand les religieuses ursulines de Loudun furent possédées du démon, cela jeta nos Mères de Dieppe dans un effroi qui leur fit craindre un semblable accident. Elles s'adressèrent à la très Sainte Vierge pour éviter ce danger et lui promirent de chanter tous les jours en son honneur le *Salve Regina*. Nos premières religieuses apportèrent cette bonne coutume de France et nous l'avons toujours continuée.

On fait ici référence à une sordide affaire de mœurs impliquant le prêtre jésuite Urbain Grandier, accusé d'avoir ensorcelé et corrompu des ursulines du couvent de Loudun. Cette affaire judiciaire figure d'ailleurs au palmarès des plus célèbres procès de l'histoire de France.

Né en 1590 à Rovère, en France, Grandier fit ses études chez les jésuites de Bordeaux. Une fois ordonné prêtre, il devint le curé de Saint-Pierre de

Loudun. Selon une analyse de ce cas, publiée dans *Le grand dictionnaire universel du XIX* siècle, Grandier fut fort probablement victime d'un règlement de comptes mesquin de la part de personnages de la haute société de l'époque : «Les succès de Grandier comme prédicateur, ses sarcasmes contre les moines et les confréries, son arrogante fatuité, l'influence qu'il exerçait sur les pénitentes de la haute société par les charmes de sa personne et de son esprit, sa tolérance pour les protestants, tout contribua à augmenter le nombre de ses ennemis.»

En plus des ursulines qui l'accusaient de les avoir «ensorcelées au moyen d'une branche de laurier jetée dans le couvent», de nombreux autres témoins «l'accusèrent, à leur tour, de sacrilège, d'orgueil, et surtout d'impudicité». Lors de son interrogatoire durant l'enquête judiciaire, Grandier avoua avoir effectivement eu des relations sexuelles avec des femmes mariées de Loudun, et, chez lui, on trouva un manuscrit dans lequel il se prononçait contre le célibat des prêtres. Condamné à mourir brûlé vif sur un bûcher, en 1634, Grandier nia cependant, et jusqu'à son dernier souffle, avoir ensorcelé qui que ce soit. Précisons que le président de la commission d'enquête, composée de douze juges, un dénommé Laubardemont, était un proche parent de la supérieure des ursulines. Dans cette étude du cas, on ajoute ce commentaire : «Ce qu'il y eut de singulier, c'est que les religieuses de Loudun restèrent possédées pendant longtemps encore, et qu'il fallut une multitude d'exorcismes pour les délivrer du démon [...]. Il n'a pas été possible jusqu'ici de porter la lumière dans cette curieuse affaire, où la fourberie joua évidemment un rôle, mais qui se compliqua d'une foule de circonstances, nées spontanément, sans doute, des aberrations de la crédulité publique. »

DE JEUNES MÂLES LIBERTINS

En 1693, un comportement pas très chic fait l'objet d'une dénonciation publique par l'évêque de Québec : de jeunes hommes enjôleurs font de fausses promesses de mariage à de gentilles demoiselles dans le seul but d'obtenir... leurs faveurs sexuelles. Comment cela est-il possible ? Quels dangereux et scandaleux serpents... à sornettes sont ces sombres individus !

Mais alors, faut-il se demander, parmi nos ancêtres québécoises, quelques-unes étaient-elles à ce point dépourvues de maturité et de jugement, ou étaient-elles tout simplement davantage libidineuses que leurs contemporaines et aussi frivoles que les jeunes hommes dénoncés ? Après tout, entre vous et moi, chacun trouvant sa chacune, ne faut-il pas être deux pour danser le tango ?

S'il dénonce ce comportement chez les jeunes mâles civils, Mgr de Saint-Vallier vise particulièrement de jeunes militaires qui, « sous prétexte de rechercher des filles en mariage, se comportent d'une manière fort licencieuse avec les dites filles qui se laissent souvent abuser, sous l'espérance de les épouser ». Et ce que

49

craint l'évêque, à juste titre, ce sont « les accidents qui leur peuvent arriver », c'est-à-dire une grossesse inattendue entraînant un mariage fait dans des conditions loin d'être idéales. Le prélat ne peut plus tolérer ces abus, car c'est « entretenir le libertinage et le désordre parmi la jeunesse, au grand scandale public ».

Dans son *Ordonnance touchant le sacrement de mariage*, émise le 7 mars 1693, l'évêque défend à l'avenir à tous les curés de marier des personnes se trouvant dans la situation dénoncée et il se réserve à lui seul le droit d'autoriser tout mariage, mais seulement après s'être assuré que les jeunes hommes n'ont « causé aucun désordre ni scandale avec les filles qu'ils voudraient épouser et [se sont] comportés chrétiennement » dans la recherche de leur future épouse.

Il semble bien que ce phénomène ait perduré jusqu'à la fin du Régime français. En 1757, à Varennes, Marie-Angélique Barabé est séduite par le beau Antoine-François Baillon dit Lacouture, un soldat du régiment de Béarn. Cette jeune femme est la fille de Jean-Baptiste Barabé et de Marie-Angélique Viau.

Malheureusement, Marie-Angélique aura un de ces « accidents » que craignait le clergé : elle tombe enceinte. Le registre de la paroisse de Varennes indique que le 7 octobre 1757 le curé Antoine-Marie Morand baptise un enfant prénommé Jacques, fils illégitime de Marie-Angélique Barabé. Dans l'acte de baptême, il est mentionné que cet enfant est « né de ce jour ».

Dans ce cas, le dénouement fut cependant heureux, car les nouveaux parents se marient à l'église de Varennes, le 6 février 1758. Ce mariage donne d'ailleurs lieu à une très ancienne coutume française : l'enfant est présent à la cérémonie du mariage de ses parents et le trio est placé « sous le voile », est-il écrit dans l'acte de mariage. Ce rituel avait pour but de légitimer un enfant né avant le mariage des parents. L'historien E.-Z. Massicotte précise, au sujet de cette coutume, que « ce voile était soutenu aux quatre coins par des hommes et restait ainsi déployé jusqu'à la communion ».

Les joies parentales seront cependant de très courte durée puisque le poupon décédera le 28 avril 1759.

LES EXCLUS DE L'ABSOLUTION

Le 10 mars 1694, à la suite d'une assemblée synodale tenue à Ville-Marie (Montréal), Mgr de Saint-Vallier publie un document intitulé *Mandements pour les cas réservés*.

S'adressant à tous les prêtres de la colonie, l'évêque leur rappelle qu'ils n'ont pas le pouvoir, lors des confessions, de donner l'absolution à des individus jugés scandaleux et qui commettent « les plus grands et plus énormes péchés ». Voici les mots qu'il emploie :

« Les Saints Évêques ayant toujours cru qu'il était très important pour entretenir la discipline parmi les fidèles que les ministres ordinaires [les prêtres] ne puissent absoudre de certains énormes péchés, mais seulement les pasteurs supérieurs », c'est-à-dire les évêques. Et voici la justification de cette décision : c'est « afin que les fidèles en conçoivent plus d'horreur, et que par la difficulté d'en être absous, ils s'éloignent de les commettre », ces ignobles péchés.

Pas reposante du tout, la vie en société à l'époque de nos ancêtres ! Les hommes autant que les femmes ont plutôt intérêt à bien se comporter puisque deux machines pénales exercent une énorme et constante pression sur leurs épaules. Par exemple, pour un même écart de conduite, comme l'adultère ou le blasphème, le fautif devra subir une punition prévue par le code criminel de l'époque et une autre imposée par l'Église catholique. Soulignons que nos ancêtres, à l'époque de la Nouvelle-France, étaient soumis à l'observance stricte des articles du code pénal définis dans la loi intitulée *Grande Ordonnance criminelle*, décrétée en 1670 par Louis XIV.

Quels sont ces si gros péchés pour lesquels seul l'évêque peut accorder une absolution et qui donnent droit à l'immense privilège, s'il en est un, d'une petite rencontre au sommet avec le prélat ? Le mandement du 10 mars 1694 établit la liste de ces *gros péchés*, et nous en examinerons certains des plus croustillants. Pour chaque péché grave entraînant une punition, je présente un ou des cas réellement survenus et qui ont fait l'objet de procès devant le tribunal du Conseil souverain; rédigés en ancien français, les comptes rendus de ces procès sont publiés intégralement dans les volumes intitulés *Jugements et délibérations du Conseil souverain de la Nouvelle-France*. Le titre de chaque manquement aux règles de l'Église est tiré directement du mandement de l'évêque.

1. *Ceux qui profèrent en public, ou écrivent quelque chose d'injurieux contre Dieu, la Sainte Vierge et les Saints.*

À l'époque, le blasphème constitue aussi une infraction criminelle grave. Les punitions prévues ne sont pas légères et leur sévérité est fonction du nombre de fois que la faute a été commise. Pour les quatre premières fois, on paye une amende. À la cinquième, on subit la peine du carcan. À la sixième, la lèvre supérieure est coupée avec un fer chaud. À la septième, le code criminel autorise de couper la langue du blasphémateur. Heureusement pour nous, cette infraction n'existe pas dans le code criminel de notre époque, car nul doute que les Québécois formeraient un peuple de muets!

Le 16 décembre 1665, l'intendant Jean Talon émet une ordonnance condamnant Jacques Bigeon, un habitant de Lauzon, pour avoir «juré et blasphémé» en présence de dix témoins, le 26 novembre précédent. Le texte de Talon nous apprend que Bigeon fut emprisonné durant trois semaines au château Saint-Louis, la résidence du gouverneur, et dut payer une amende de dix livres, dont la moitié fut versée à l'Hôtel-Dieu de Québec.

Le 28 juillet 1684, le tribunal du Conseil souverain condamne Charles Catignon, responsable du magasin du roi à Québec, à payer une lourde amende pour avoir «proféré plusieurs injures, blasphèmes et jurements exécrables [...] dans le logis de Pierre Nolan». Catignon jouait alors aux dés avec le sieur de Repentigny.

2. *La magie, par laquelle nous entendons ceux qui se servent de moyens illicites, et qui n'ont aucun rapport avec l'effet qu'ils veulent produire, et ceux qui les consultent* [les clients].

Selon le code criminel, les personnes qui pratiquent la magie, la sorcellerie et le sortilège commettent des actes punissables. On fait référence, par exemple, à ceux qui préparent et vendent des potions ou des drogues prétendues miraculeuses, ou encore à ceux qui affirment pouvoir prédire l'avenir.

Le 16 mars 1699, deux militaires de Trois-Rivières sont condamnés pour avoir eu en leur possession une formule magique, rédigée sur un bout de papier, et qui aurait eu le pouvoir de «rendre dur», c'est-à-dire de provoquer une érection. Décidément, la course à la pilule miraculeuse pour les mâles ne date pas d'hier! François Goguet dit Beauregard et Ignace Marenne sont alors condamnés à payer une forte amende. Après le prononcé de la sentence, on indique ceci dans le texte du jugement: «Le billet dudit Beauregard, prétendu servir à magie, [a été] remis entre ses mains pour être brûlé, ce qu'il a fait aussitôt, en présence dudit Conseil. »

3. *Commettre inceste avec parents ou alliés au premier ou second degré, sans y comprendre l'inceste de cousin germain avec la cousine germaine.*

Le Montréalais Jean Valiquet dit Laverdure est un père incestueux, arrêté puis jugé pour « avoir eu copulation charnelle avec l'une de ses filles et d'avoir attenté de ravir des deux autres [filles] l'honneur », indique-t-on dans le jugement du tribunal de première instance, daté du 7 septembre 1679.

En plus de la confiscation des biens de cet individu, le jugement prévoyait la sentence suivante : « Pour réparation, condamné d'être pendu et étranglé jusqu'à ce que mort s'ensuive, à une potence qui, pour cet effet, sera dressée en la place publique où se tient le marché. » À l'époque, c'est la coutume de procéder à l'exécution d'un criminel en public.

Mais Valiquet porte sa cause en appel. Le 21 novembre 1679, le tribunal d'appel maintient le verdict de culpabilité, mais lui épargne la pendaison. Valiquet ne deviendra pas un pendu, mais plutôt un exclu : le coupable est banni de la ville, et « défense à lui de s'approcher de l'île de Montréal plus près de trente lieues ». L'expulsion d'une ville ou du pays était une peine criminelle courante, imposée, par exemple, à des prostituées ou à l'amant d'une femme adultère.

Serrurier et armurier, Jean Valiquet dit Laverdure avait épousé Renée Loppé à Montréal, le 23 septembre 1658, et le couple a eu huit enfants, dont cinq filles. Valiquet mourra à l'Hôtel-Dieu de Québec le 20 août 1696.

4. Ceux qui commettent les détestables péchés de sodomie et de bestialité.

Dans le code criminel, la sodomie est décrite comme le plus grave crime de luxure, une pratique qui va à l'encontre des lois divines et humaines.

Le 12 novembre 1691, trois militaires sont punis par le tribunal «pour avoir commis le crime de sodomie», précise-t-on dans le jugement rendu. Lieutenant d'une compagnie de la Marine, Nicolas Daussy de Saint-Michel est déclaré coupable « d'avoir voulu débaucher plusieurs hommes et d'être même tombé dans des actions infâmes et honteuses pour parvenir à cette mauvaise fin ». En plus de devoir acquitter une forte amende, il est expulsé du pays.

Quant aux deux autres, Jean Forgeron dit Larose et Jean Filiau dit Dubois, ils sont sévèrement réprimandés, en présence du tribunal, «pour avoir condescendu aux attachements et actions honteuses dudit Daussy, par un espace de temps qu'ils auraient pu se retirer ou appeler au secours».

5. L'adultère, ou le concubinage public tellement notoire qu'on ne puisse pas le celer [cacher], *et le viol attenté des jeunes enfants par des grandes personnes.*

À l'époque de la Nouvelle-France, l'adultère est un crime très sévèrement puni. Par exemple, l'épouse qui trompe son mari peut être fouettée en public, enfermée durant deux ans, dans un hôpital ou un couvent, et on lui rase la tête. Dans une recherche intitulée *La justice criminelle du roi au Canada*, l'historien André Lachance mentionne qu'à l'Hôpital général de Québec et à celui de Montréal il y avait des chambres servant à l'enfermement. Au terme de la sentence, le mari avait le choix de reprendre sa femme ou non. L'amant de l'épouse voyait tous ses biens confisqués et il pouvait être expulsé du pays.

Le 21 janvier 1669, Marie Chauvet, de Charlesbourg, est reconnue coupable d'avoir trompé son mari, Pierre Fayon, avec deux hommes : Pierre Vivier et Étienne Roy, qui résident également à Charlesbourg.

Marie Chauvet est alors condamnée « à être rasée et battue de verges par les carrefours ordinaires de cette ville [Québec] et ensuite enfermée dans un lieu sûr pour y demeurer ». Les deux amants ont été très chanceux de subir des peines plus légères que celles prévues dans le code criminel : en plus de payer une forte amende, ils doivent « tenir pendant huit jours prison, les fers aux pieds, au pain et à l'eau ».

Le viol d'un enfant mineur entraîne la peine de mort. C'est le sort que subit Jean Raté, le 29 novembre 1667, pour avoir violé une jeune fille de l'île d'Orléans, Anne Poullet, âgée de seulement onze ans.

Tous les biens de Raté sont vendus pour remettre à la victime une assez grosse somme d'argent, en guise de dote, et le prédateur sexuel est condamné « à être livré entre les mains de l'exécuteur de la haute justice [le bourreau] et, de là, être conduit à une fourche patibulaire où il y sera attaché pour y être pendu et étranglé jusqu'à ce que mort s'ensuive ». Selon le texte du jugement, l'exécution de ce sinistre individu a lieu le 1er décembre 1667, vers deux heures.

6. *Ceux qui mangent de la viande le carême, et autres jours que l'Église défend, sans nécessité et sans avoir obtenu la permission du curé, ou autre supérieur ecclésiastique.*

Louis Gaboury, époux de Nicole Souillard et qui demeure à Sainte-Famille, sur l'île d'Orléans, va apprendre qu'il est périlleux de bouffer un steak durant la période du carême. Le 26 octobre 1670, le tribunal le condamne à « être attaché à un poteau public trois heures de temps, et ensuite conduit au devant de la porte de la chapelle de l'île d'Orléans où, étant à genoux, les mains jointes, nu-tête, demander pardon à Dieu, au roi et à la justice pour avoir mangé de la viande pendant le carême sans en demander permission à l'Église ».

7. *Ceux qui font des libelles ou chansons diffamatoires.*

Ce type de péché grave fait partie de la catégorie des injures dans le code criminel. « Ce mot est générique et comprend non seulement les injures verbales, mais encore les injures par écrit comme les libelles diffamatoires», indique Guy du Rousseaud de la Combe dans son traité de jurisprudence publié en 1750.

Les jumelles Madeleine et Claude Deschalets, les épouses de Jean Giron et de Simon Roy, sont reconnues coupables, le 11 mars 1669, d'avoir sali la réputation de Françoise Leclerc, épouse de Michel Riffaut. À bord du navire les amenant tous en Nouvelle-France, elles ont qualifié Françoise Leclerc de «putain» et l'ont accusée d'avoir accouché d'un enfant durant la traversée et de s'en être débarrassée. Au tribunal, en présence de la victime et de son mari, les deux sœurs doivent reconnaître et avouer que, «témérairement, malicieusement et faussement, elles ont accusé ladite femme». Elles s'engagent à «lui demander pardon et [à] déclarer qu'elles la reconnaissent pour femme de bien et d'honneur».

8. Le duel, dans lequel sont compris non seulement ceux qui se battent en duel, mais aussi ceux qui provoquent.

Le 8 juillet 1669, un militaire de la garnison de Trois-Rivières, François Blanche dit Langevin, est reconnu coupable d'avoir tué, dans un duel, un autre militaire, Daniel Lemaire dit Desroches. Blanche est alors condamné «à être pendu et étranglé jusqu'à ce que mort s'ensuive». De plus, après sa mort, «le poing droit lui sera coupé et attaché à un poteau sur le cap Diamant [à Québec]». Dans le texte du jugement, le greffier du tribunal indique que l'exécution a eu lieu à trois heures de l'après-midi du 8 juillet 1669.

9. Le péché d'impureté des Français avec les Sauvagesses.

Marie Giguère, l'une des filles du premier ancêtre Giguère en Nouvelle-France, Robert, va vivre une expérience matrimoniale assez particulière avec son mari, Jean-Baptiste Patissier dit Saint-Amand, un soldat du régiment de Carignan. Arrivé au pays le 17 août 1665, celui-ci l'a épousée le 10 janvier 1678, à Sorel.

En 1678, Marie accouche de son premier enfant, dont le prénom est Catherine. En 1680, elle met au monde son premier fils, Pierre-Jean-Baptiste. Mais, vers 1684, Marie Giguère n'aura plus jamais l'occasion de redevenir mère, car Patissier abandonne définitivement sa famille pour aller vivre avec une Amérindienne, chez les Outaouais. Le mari sera finalement déchu de ses droits matrimoniaux en 1709.

Patissier correspondait-il au profil du véritable *coureur des bois* peu désireux de s'établir en permanence sur une terre et de l'exploiter? Le baron de La Hontan, lui, ne semblait pas avoir une très haute opinion de ces individus qui aimaient mieux *courir les bois* que de manier la charrue dans les champs et de vivre de manière plus sérieuse. À ce sujet, il écrit, dans le récit de son voyage au Canada :

> Ceux qui sont mariés sont ordinairement plus sages ; ils vont se délasser chez eux et ils y portent leurs profits. Mais pour les garçons [célibataires], ils se plongent dans la volupté jusqu'au cou. La bonne chère, les femmes, le

jeu, la boisson, tout y va. Tant que les castors durent, rien ne coûte à nos marchands. Vous seriez même étonnés de la dépense qu'ils font en habits. Mais la source est-elle tarie, le magasin est-il épuisé ? Adieu dentelles, dorures, habillements, adieu l'attirail de luxe, on vend tout. De cette dernière monnaie [provenant de la vente de leurs actifs], on négocie de nouvelles marchandises, avec cela ils se remettent en chemin, et partagent ainsi leur jeunesse entre la peine et la débauche ; ces coureurs, en un mot, vivent comme la plupart de nos matelots d'Europe.

AU VOLEUR !

Jean Carré dit des Essarts n'a surtout pas froid aux yeux et ce vilain brigand se paye le luxe de voler son curé. Qui est cet individu ? Malheureusement – ou heureusement – il a laissé peu de traces dans nos archives nationales.

Le 19 et le 20 mai 1667, Jean Carré est mis sur la sellette, car l'enquêteur affecté à son méfait rencontre neuf témoins de son crime et rassemble leurs dépositions. Dans son jugement rendu le 6 juin 1667, le tribunal du Conseil souverain « a déclaré et déclare ledit Jean Carré dit des Essarts dûment atteint et convaincu d'avoir volé à l'île d'Orléans, dans le cabinet du sieur Pommier, prêtre, la somme de deux cent quatre-vingt-douze livres ». Il s'agissait là d'une somme très importante puisque, selon des inventaires de biens dressés par des notaires de l'époque, une maison pouvait valoir jusqu'à trois cents livres!

En conséquence de son geste, la cour le «condamne à être battu et flétri de verges dans les places de la haute et basse-ville de Québec, par l'exécuteur de la haute justice et faire amende honorable à la porte de l'église paroissiale Notre-Dame de cette ville»; il doit aussi «reconnaître qu'il a été assez malheureux de s'abandonner à commettre ce larcin». L'*amende honorable* était une punition publique fort humiliante. Le criminel à qui on l'imposait devait, vêtu seulement d'une chemise, tenant une torche de deux livres dans une main et avec une corde nouée autour du cou, aller devant une église pour demander pardon, selon l'expression consacrée, «à Dieu, au roi et à la justice» pour le crime commis.

Le curé victime du vol est Hughes Pommier, identifié dans le recensement de 1666 comme un prêtre du Séminaire de Québec. Originaire du Vendômois, en France, il est arrivé ici en 1663. Premier curé de Boucherville, il desservira plusieurs autres paroisses, dont Pointe-Lévis et celles de la Côte de Beaupré. Il mourra en France en 1686.

À CHACUN SON JARDIN

Un habitant de la paroisse de L'Ange-Gardien (Côte de Beaupré), Louis Garneau, est piqué au vif car son curé, l'abbé Louis-Gaspard Dufournel, a carrément refusé de lui donner le sacrement de la confession. Espérant sans doute que le plus haut tribunal du pays trouvera une solution à son problème existentiel, il porte plainte au Conseil supérieur.

À la plainte de Garneau, le représentant du tribunal ecclésiastique de Québec, l'abbé Philippe Boucher, riposte avec une requête contestant les agissements de la brebis égarée. On comprendra que l'abbé Boucher n'aime pas que la justice laïque se mêle des affaires de l'Église en mettant les pieds dans ses plates-bandes.

D'après le ton que suggèrent les mots utilisés dans sa requête, M. Boucher semble vraiment insulté : « Lundi dernier, vingt-deuxième jour de ce mois [juillet], on voulut surprendre la Religion » en portant plainte au Conseil supérieur. Il mentionne au tribunal que celui qui a accepté de recevoir la plainte de Garneau a commis une grossière erreur : « Celui qui dressa [prépara] ladite requête ne savait pas, sans doute, que les juges laïcs [ne se prononçaient jamais sur des affaires] qui regardent les matières spirituelles telles que celle-ci. » L'abbé ne manque pas de rappeler ceci au tribunal : « Quand on accuse un prêtre de ne pas faire son devoir dans l'administration des sacrements, il ne peut être cité pour cela que par devant l'official, suivant l'article 34 de l'édit de Versailles du mois d'avril 1695. » L'official est le juge du tribunal ecclésiastique.

Dans son plaidoyer, Boucher apporte d'autres précisions encore. Selon lui, le Conseil n'a pas à se prononcer, car la demande de Garneau est irrecevable, puisqu'elle n'existe pas en vertu des lois. Et il ajoute : « Accuser un prêtre de refuser d'entendre confession d'un de ses paroissiens, c'est un cas dont les empereurs, ni les rois les plus ennemis de l'Église, ni aucune justice séculière n'ont jamais entrepris de prendre connaissance [de juger]. »

La décision du 9 août 1712 donne raison à l'abbé Boucher et le Conseil ordonne à Garneau de porter plainte auprès de l'official de Québec.

Né à Lyon le 15 septembre 1662, Louis-Gaspard Dufournel est ordonné prêtre en 1687. Arrivé au pays en 1688, il sera le curé de la paroisse de L'Ange-Gardien durant soixante-trois ans, lieu où il meurt le 30 mars 1757.

DÉFROQUÉ, LE MOINE EST EN CAVALE

Dans *Les Annales de l'Hôtel-Dieu de Québec*, une religieuse relate la venue en Nouvelle-France d'un étrange personnage : « Il vint en ce pays, par les vaisseaux de l'année 1714, un jeune homme fort modeste qui se faisait appeler M. du Pont. Il se logea dans la meilleure auberge de Québec. On remarqua en lui quelque chose de gêné, qui fit qu'on le soupçonna d'être un moine défroqué. » Un loup venait-il d'entrer dans la bergerie ?

Cette religieuse ne se trompait guère. Cet individu, qui utilisait le nom de M. Dupont, n'était nul autre que Georges-François Poulet, un bénédictin originaire de Saint-Maure qui, sur la pointe des pieds, venait de déguerpir de sa communauté religieuse pour trouver refuge ici. Étant devenu un disciple du mouvement janséniste, Poulet craignait d'avoir des problèmes en France et, comme il le précise dans son journal personnel évoquant son aventure, il se réfugia d'abord à La Rochelle. Puis, dit-il, «je m'embarquai pour le Canada que je savais très catholique […]. J'arrivai à Québec le 3 août 1715 après une navigation de soixante-dix jours». La religieuse de l'Hôtel-Dieu se serait donc trompée en écrivant 1714 au lieu de 1715.

En bref, le jansénisme est un mouvement religieux soutenu au XVIIe siècle par Cornelius Jansen, évêque d'Yprès, né en Hollande en 1585. Au sujet du salut des âmes, la faction catholique janséniste prônait une morale très rigoureuse, en affirmant, entre autres, que Dieu n'accordait le salut qu'aux seules personnes dites *prédestinées*, alors que leurs farouches ennemis, comme les jésuites, insistaient sur le principe de la pleine liberté des humains de choisir ou non leur salut. L'Église mènera un très dur combat pour rayer de la carte les jansénistes. Mentionnons deux temps forts de ce mouvement en France. En 1709, la bulle *Vineam Domini*, décrétée en 1705, entraîne l'expulsion des religieuses de Port-Royal; leur directeur spirituel, Saint-Cyran, avait d'ailleurs été emprisonné en 1638, car il avait publié un ouvrage dénonçant ouvertement la royauté française à laquelle il reprochait ses alliances avec des pays protestants. En 1713, la bulle *Unigenitus* condamne les théories du religieux Quesnel, publiées

dans ses *Réflexions morales*. Georges-François Poulet
entretenait des liens très étroits avec Quesnel.

Poulet, le moine en cavale, ne passe que douze jours
à Québec, pour ensuite se pousser dans la direction de
la Côte du Sud, région où se trouvent Montmagny,
L'Islet et Saint-Jean-Port-Joli. Son projet est de s'y
établir pour vivre en ermite, mais, vous le constaterez
plus loin, les autorités civiles et religieuses ne débor-
deront pas de joie à cette perspective.

Dans son texte, Poulet ne donne pas le nom du
village où il veut s'établir, mais il ne tarit pas d'éloges
sur l'accueil très chaleureux manifesté à son égard par
un curé dénommé Leclair : « Un homme d'esprit et
d'un très bon cœur [qui] m'engagea à ne pas passer
outre, après mille offres de service et toutes sortes d'in-
sistance pour que je ne m'établis[se] pas ailleurs que
chez lui au moins pour l'hiver. » Le curé mentionné est
Pierre Leclair, qui desservit plusieurs paroisses, dont
Cap-Saint-Ignace et L'Islet, entre 1714 et 1722.

Bon prince, le curé Leclair fait le nécessaire pour
qu'on lui construise une cabane dans un boisé, en
bordure d'une rivière. Cet Européen va cependant
brutalement découvrir la dure réalité de séjourner dans
une *cabane au Canada* en plein hiver. La demeure
ayant été construite à la hâte, l'eau coulait à l'intérieur
par la toiture et l'épaisse fumée qui se dégageait du
poêle à bois l'incommodait au plus haut point : « J'étais
obligé de laisser la porte ouverte toute la nuit pour ne
pas risquer d'étouffer », peste-t-il dans son journal.

Il résidera donc chez le curé Leclair durant le reste de l'hiver. Une nouvelle cabane est construite au printemps, mais elle est détruite par un incendie de forêt le 25 juin 1716. Poulet décide alors d'aller se réfugier chez le seigneur de Trois-Pistoles, Nicolas Rioux. Changer de milieu fait finalement bien son affaire, car, relate-t-il, « j'étais de plus trop en vue, tout le monde désirait me voir et s'occupait à deviner qui je pouvais être ». L'histoire ne dit pas si les gens de la Côte du Sud avaient changé les paroles de la chanson *Ah! si mon moine voulait danser* pour *Ah! si mon moine voulait parler!*

Le seigneur Rioux accepte de fournir à Poulet un grand terrain dans une forêt et l'aide à bâtir sa *nouvelle cabane au Canada*. Enfin, ce prêtre bénédictin finit par atteindre l'état d'extase mystique tant souhaité : « Je vécus l'espace de deux années seul et inconnu, content et tranquille, approchant de plus près qu'il m'était possible de l'ancienne simplicité de nos premiers pères, suivant de point en point la règle de saint Benoît. »

Notre ermite avait cependant oublié une règle immuable de la vie humaine : tout finit un jour par se savoir. Étant allé en visite en France, un prêtre canadien y fait la rencontre d'un bénédictin qui lui assure très bien connaître un certain Georges-François Poulet, un adepte du jansénisme parti se cacher au Canada. Informées de la nouvelle, les autorités religieuses et civiles se mettent à la poursuite du mouton noir qui circule maintenant parmi le troupeau des bonnes âmes de la Nouvelle-France.

Terré dans sa tanière dans un boisé de Trois-Pistoles depuis plusieurs mois, Poulet note dans son journal qu'il commence à percevoir que son séjour ici tire peut-être à sa fin : « Il se répandait en même temps un bruit que Monsieur le gouverneur de Québec me faisait rechercher partout pour m'enlever et me renvoyer en France. »

Après un échange de lettres avec Mgr de Saint-Vallier, Poulet accepte finalement l'invitation d'aller rencontrer l'évêque de Québec pour discuter : « Il me pressait fort de faire un voyage à la ville, écrit-il, pour qu'il me vit, m'offrant sa maison et sa table. » Ici, un clin d'œil amical à tous ceux qui, dans le confort de leur automobile, ragent contre la lenteur de la circulation aux heures de pointe : Poulet affirme avoir fait le trajet de Trois-Pistoles à Québec... en raquettes ! Ce fait relèverait aujourd'hui de l'exploit mais, à l'époque, parcourir de longues distances en raquettes n'avait rien d'extraordinaire. D'ailleurs, dans une lettre rédigée en 1712 et destinée au ministre de la Marine, en France, le gouverneur Vaudreuil demande de « diminuer le nombre de chevaux et remettre les habitants à aller en raquettes ». La raison évoquée est qu'il faut que « les habitants soient forts et robustes ».

C'est donc un Poulet en forme qui se présente chez le patron de l'Église en Nouvelle-France. Et il aura besoin de toutes ses forces, car Mgr de Saint-Vallier est bien déterminé à le ramener dans le droit chemin. Avant de lui faire une proposition conciliante, l'évêque met les pendules à l'heure. En premier lieu, il mentionne à Poulet que son adhésion aux croyances jansénistes le rend coupable d'hérésie aux yeux de l'Église catholique. En second lieu, il lui fait savoir qu'il est inacceptable pour un prêtre de ne pas recevoir les sacrements. Et surtout, insiste-t-il, un prêtre doit dire la messe, ce que Poulet confirme ne pas avoir fait depuis plus de deux ans.

Puis, Mgr de Saint-Vallier lui fait une proposition qui serait acceptable pour son supérieur en France : s'il signe un document confirmant qu'il renonce au mouvement janséniste, Poulet pourra sans problème exercer un ministère à Rimouski. Mais l'évêque reçoit un refus glacial et catégorique, comme l'explique Poulet dans son journal : « Je lui témoignai que je n'étais nullement venu en Canada à dessein d'être chargé de la conduite des âmes, que ces sortes d'emplois ne convenaient point aux bénédictins solitaires par état. »

Lui accordant du temps pour réfléchir à sa situation, Mgr de Saint-Vallier exige que Poulet abandonne le port de vêtements civils pour revêtir au moins une soutane. Parions que même si ce cher évêque était d'accord que « l'habit ne fait pas le moine », il devait se dire qu'il fallait au moins en avoir les apparences. À plusieurs reprises, il offre de lui prêter une de ses soutanes, mais Poulet s'obstine : « Je la refusai constamment, ne voulant pas non plus prendre d'autre nouvel habit que celui de notre ordre. » C'est finalement l'intendant Bégon qui consent à payer l'achat de tissu et la confection d'une soutane portée par un bénédictin.

Une seconde rencontre a lieu, mais les positions de chacune des parties demeurent irréconciliables. Poulet écrit à l'évêque pour le supplier de ne pas le priver de recevoir les sacrements, mais en vain. Le confesseur de Mgr de Saint-Vallier, le père Jacques D'Heu, un jésuite, est chargé de rencontrer Poulet pour lui faire entendre raison, mais cette rencontre au sommet tourne au vinaigre. Les échanges se révèlent explosifs et virils, car Poulet rapporte que le jésuite « s'échauffa tellement qu'à l'issue de notre dispute, il se trouva incommodé et fut obligé de garder le lit plusieurs jours ».

Après un bref retour à sa cabane de Trois-Pistoles, Poulet revient à Québec pour rediscuter de sa situation avec les jésuites et pour rencontrer ceux qui, selon lui, colportent des faussetés à son sujet. Il est mis au courant que, désormais, il ne doit plus quitter la ville de Québec sans l'autorisation de Mgr de Saint-Vallier. Selon sa version des faits, on le menace : « Si les Rioux me retiraient [hébergeaient] davantage chez eux, leur sœur, qui postulait pour être religieuse, ne le serait certainement pas. » « Je ne pus m'empêcher de dire à M. l'évêque qu'il serait indigne que Sa Grandeur se vengeât aussi sur une jeune fille ignorante de toutes mes affaires », de commenter un Poulet outré.

Frondeur ou inconscient, Poulet décide, malgré l'interdiction, de retourner à Trois-Pistoles pour s'y réfugier, et il monte à bord d'un bateau possédé par un dénommé Côté et par Jean Gagnon de La Bouteillerie.

Apprenant la nouvelle de l'escapade de Poulet, Mgr de Saint-Vallier, à bout de patience, sort la plume et l'encrier pour rédiger, le 15 septembre 1718, l'*Ordonnance au sujet de Dom Georges François Poulet, moine défroqué*, et il en profite pour frotter les oreilles également à ceux qui lui viennent en aide :

> Comme rien ne nous paraît plus déplorable que de voir l'empressement que font paraître quelques-uns de nos diocésains de favoriser des personnes qui cherchent à se perdre pour l'éternité par leur entêtement, et l'éloignement qu'ils ont de vouloir prendre les seuls moyens qui les peuvent mettre dans le bon chemin, nous avons été véritablement touché, Nos Très Chers Frères, en remarquant dans les Sieurs Côté et Jean Gagnon de La Bouteillerie la résolution prise et exécutée d'emmener là-bas dom Georges François Poulet, bénédictin sorti furtivement de son couvent à l'insu de ses supérieurs, et sans obédience, dans un habit laïque, malgré tous les avis que nous leur en avons pu faire donner par des personnes mêmes considérables. C'est pourquoi voulant faire connaître à ces personnes et autres de notre diocèse, où demeure Georges François Poulet, religieux, l'obligation qu'ils ont de nous obéir sous peine de péché mortel en tel

cas, Nous leur déclarons que celui ou ceux qui ont pris et emmené de Québec ledit religieux ont commis une grande faute, dont ils mériteraient que nous nous réservassions l'absolution […]. Et pour faire voir l'horreur que nous avons des religieux qui se sont séparés de leur communauté, qui par la continuation de leur séparation doivent être regardés comme apostats et excommuniés par le droit […]. Nous enjoignons à tous les curés et missionnaires qui desservent les missions de ce côté-là jusqu'à Rimouski […] de refuser les sacrements au dit Dom Poulet religieux, excepté en cas de mort, et même de dire la messe devant lui, ce que nous leur défendons sous peine de suspense de leurs fonctions.

L'escapade de Poulet à Trois-Pistoles sera de courte durée puisque, souffrant d'une fièvre pourprée et de la petite vérole, il est hospitalisé à Québec. Dans *Les Annales de l'Hôtel-Dieu,* une religieuse a noté quelques commentaires sur ce patient plutôt original :

Il avait été quelque temps en Hollande sous le père Quesnel, où il s'était fortifié dans le jansénisme dont il faisait profession ouverte […]. Il aima mieux être privé des sacrements que de rentrer dans la soumission due au Saint-Siège. Il parlait avec un extrême mépris du Pape […]. Il blâmait les dévotions simples envers la très Sainte Vierge, donnait de grandes terreurs de la sainte Communion, se déchaînait contre les jésuites […]. Il écrivit même à Sa Grandeur [Mᵍʳ de Saint-Vallier] avec des reproches outrageants.

Le 19 octobre 1718, encore affaibli par la maladie, Poulet décide de retourner en France à bord du navire *La Mutine*, commandé par le chevalier De Courcy. Et la religieuse de l'Hôtel-Dieu de conclure ainsi cette aventure :

Nous ne saurions trop prier Dieu qu'il veuille continuer de préserver le Canada du venin de l'hérésie, afin que cette Église se conserve dans la pureté de la foi, et que notre attachement et notre respect pour le vicaire de Jésus-Christ nous attirent en ce monde et en l'autre les bénédictions qui sont promises aux âmes véritablement fidèles.

Et vogue la galère, on se marie *à la gaumine*

Les bonnes âmes seront sûrement étonnées, peut-être même scandalisées, d'apprendre que plusieurs de nos ancêtres ne voulaient absolument pas se marier selon le rituel de l'Église catholique, mais plutôt selon la cérémonie dite *à la gaumine*. Comme le souligne l'ethnologue Robert-Lionel Séguin, « les autorités religieuses et civiles doivent conjuguer tous leurs efforts pour détourner le peuple de cette coutume de plus en plus répandue en Nouvelle-France ». En bref, un couple désirant se marier *à la gaumine* invite des témoins à entrer avec lui dans une église durant la célébration d'une messe. Au moment du rituel de l'Élévation, quand le prêtre élève l'hostie, le couple se donne la main. Ce simple geste étant accompli en présence de témoins, « on considère le mariage dûment célébré sans autres formalités », de préciser Séguin.

Mentionnons que les règles sur le rituel du mariage catholique, comme nous les connaissons aujourd'hui, sont relativement récentes dans l'histoire de la culture occidentale. C'est le 11 novembre 1563, vingt-neuf ans après la découverte du Canada par Jacques Cartier en 1534, qu'un décret du concile de Trente rend obligatoire, sous peine de nullité, la célébration d'un mariage dans une église et la présence du curé de la paroisse. Dans l'*Ordonnance de Blois*, datant de mai 1579, soit vingt-neuf ans avant la fondation de Québec par Champlain, le roi de France impose l'étape de la publication des bans et l'obligation de la présence au mariage de quatre témoins.

C'est en 1640 qu'un dénommé Gilbert Gaulmin lance la mode du *mariage à la gaumine*, qui a connu une certaine popularité en France, puis en Nouvelle-France. Dans la soixantaine, Gaulmin se vit refuser le mariage par son curé. Nullement découragé, « il amena deux notaires à l'église paroissiale, avec sa fiancée et plusieurs témoins, fit constater le refus que le curé opposait à ses sommations, déclara qu'il se mariait *en face de l'Église* et se fit donner acte du tout», précise le juriste français Marcel Planiol dans son *Traité élémentaire de droit civil*. Habilement, Gaulmin réussit ainsi à exploiter en sa faveur une faille dans le système établi : « La bénédiction nuptiale n'était pas imposée pour la validité du mariage et c'était là ce qui faisait le mérite de l'invention de Gaulmin », de souligner Planiol. Les autorités françaises ne corrigèrent la loi qu'en 1697, en rendant désormais obligatoire la bénédiction d'un mariage par un curé.

En Nouvelle-France, l'un des cas les plus connus, et très bien documenté, de mariage *à la gaumine* est celui impliquant Louis de Montéléon et Marie-Anne-Joseph de Lestringant. Leur écart de conduite donne lieu à un retentissant procès et cause un grand scandale public, car le couple appartient à la bonne société de la ville de Québec ; les notes du procès ont d'ailleurs été publiées dans le *Rapport de l'Archiviste de la Province de Québec*, volume 1920-1921.

Le mercredi 7 janvier 1711, Étienne Boullard, curé de la paroisse de Beauport, rédige un rapport relatant les événements, un document qui sera déposé en preuve lors du procès. Boullard est né en France et est arrivé au pays le 21 juillet 1682 ; il sera le curé de Beauport de 1684 à 1719.

Le curé explique qu'il célébrait, en présence de nombreux témoins, la cérémonie du mariage de Simon Touchet et Geneviève Gagné quand, soudain, il

75

est interrompu et interpellé à voix haute par Monté-léon : « J'ai entendu parler le sieur de Montéléon et protester tout haut sur son droit et sa bonne conduite prétendue au sujet du mariage où il espérait parvenir avec damoiselle Marie-Anne-Joseph Lestringant. » Boullard manifeste immédiatement sa vive opposition à ce projet de mariage *à la gaumine*; « je me suis détourné vers les assistants, écrit-il, et j'ai déclaré que ledit sieur de Montéléon, qui continuait toujours à parler haut, ayant auprès de lui ladite damoiselle de Lestringant, entreprenait une chose très criminelle à laquelle je protestais ».

Frondeur et sans retenue, voici que l'homme « a donné son consentement tout haut audit mariage avec ladite damoiselle, laquelle ensuite a déclaré le sien d'une voix intelligible, ledit sieur de Montéléon prenant à témoin ceux qui étaient présents ». Boullard affirme « avoir déclaré, avant que ledit sieur de Monté-léon eut exprimé son consentement audit mariage, que les assistants devaient sortir de l'église et, qu'en conscience, on ne pouvait assister comme témoin à un mariage [...] contre les règles de l'Église et sans publi-cation d'aucuns bans ni dispense ».

Après la messe, le curé se rend au presbytère pour que le couple Touchet-Gagné signe l'acte de mariage dans le registre paroissial. Montéléon et la mère de celle qu'il vient d'« épouser » suivent le groupe jusqu'au presbytère. Le curé en profite alors pour leur servir une sévère mise en garde : « J'ai réitéré les mêmes choses, en présence de plusieurs personnes, les assurant fortement qu'ils venaient de commettre une action exécrable et qu'un mariage de cette sorte ne pouvait qu'attirer sur eux la malédiction de Dieu.» Mais en vain, car Boullard déplore «qu'ils n'ont paru faire aucun cas, ajoutant qu'ils étaient en droit et en bonne conscience et qu'ils avaient été bien conseillés».

Dans cette affaire, le jugement du tribunal du Conseil souverain tombe le lundi 9 février 1711, soit un mois après le fameux mariage :

> Le Conseil, faisant droit sur le tout, ayant égard aux conclusions du procureur général du Roi, a déclaré et déclare le prétendu mariage du dit de Montéléon avec ladite Marie-Anne-Joseph de Lestringant mal, nullement, illicitement, scandaleusement et non valablement contracté et en conséquence l'a déclaré et déclare nul, fait défense aux parties d'habiter ensemble ni de se fréquenter, même à ladite Marie-Anne-Joseph de Lestringant de porter le nom de Montéléon, à peine contre ledit Montéléon de punition corporelle.

Puis le tribunal impose une amende de cent livres aux parents de Marie-Anne-Joseph, «attendu sa minorité et pour le scandale commis», indique le jugement (précisons qu'à l'époque l'âge de la majorité est établi à vingt-cinq ans). Quant au couple d'amoureux, il doit verser vingt livres, une amende «applicable aux pauvres de la paroisse de Beauport».

En outre, le jugement précise que, tant et aussi longtemps que les parties ne se seront pas mariées selon les règles de l'Église, « Marie-Anne-Joseph de Lestringant demeurera dans le couvent de l'Hôtel-Dieu de cette ville [Québec], où elle est présentement, sans que ses père et mère puissent l'en faire sortir sous quelque prétexte que ce soit ». Mais la détention de la jeune femme sera de courte durée puisque le couple décide finalement de se marier selon les règles, dans l'église de Beauport, le 16 février 1711, soit une semaine après le prononcé du jugement. De cette union naîtra une fille, Marie-Louise, le 26 décembre 1711, mais l'enfant mourra le 5 février suivant.

L'engouement pour le mariage *à la gaumine* doit être relativement important chez nos ancêtres, car Mgr de Saint-Vallier met le poing sur la table, le 24 mai 1717, en rédigeant un mandement consacré à ce sujet, soit le *Mandement pour condamner les mariages à la gaumine*. Dans son introduction, le prélat justifie ainsi sa colère : « Étant obligé par le devoir de notre charge de veiller sans cesse sur le troupeau que le souverain Pasteur des âmes nous a confié, nous nous trouvons aujourd'hui obligé d'employer les remèdes les plus forts pour guérir un mal qui n'a déjà causé que trop de désordres dans ce diocèse. » Il confirme que de nombreux curés l'ont informé que « plusieurs jeunes gens, au mépris des lois civiles et ecclésiastiques [...] avaient trouvé, par l'instigation du démon, une manière détestable de contracter des mariages, qu'ils appellent *à la gaumine* » et « qu'il s'était trouvé des personnes assez impies pour conseiller de tels mariages et assez téméraires pour s'offrir d'être témoins de cette profanation ».

En conséquence, Mgr de Saint-Vallier déclare *ipso facto* « excommuniés tous ceux qui dans la suite oseront contracter de si détestables mariages » et « ceux aussi qui seront assez méchants pour le conseiller, tous les témoins apostés pour les dits mariages et les notaires qui en dresseraient l'acte ».

Malheureusement, la grogne de l'évêque ne réussit pas à affaiblir la détermination de plusieurs autres couples, car d'autres mariages *à la gaumine* auront lieu durant le XVIIIe siècle. Le cas d'un couple de la *bonne société* de Montréal est notoire. Ce mariage implique celle qui est considérée comme l'une des premières écrivaines de notre histoire littéraire, Marie-Élisabeth Rocbert de La Morandière, et Claude-Michel Bégon de La Cour, le frère de l'intendant Michel Bégon.

Née à Montréal le 27 juillet 1696, Marie-Élisabeth est la fille d'Étienne Rocbert de La Morandière, qui est responsable du magasin du roi. Quant à Claude-Michel Bégon, il est né le 15 mars 1683, à la Martinique ; avant de mourir à Montréal le 30 avril 1748, il aura occupé plusieurs fonctions prestigieuses en Nouvelle-France, dont celle de gouverneur de Trois-Rivières en 1743. Devenue veuve, Marie-Élisabeth Rocbert rédigea ses cahiers de correspondance dans la maison familiale située rue Saint-Paul, près du marché Bonsecours ; son œuvre est publiée dans le *Rapport de l'Archiviste de la Province de Québec*, tome 1934-1935. Ses écrits renseignent abondamment sur mille et un aspects de la vie quotidienne en Nouvelle-France.

Claude-Michel Bégon, qui réside dans la famille d'Étienne Rocbert, devient amoureux de Marie-Élisabeth et veut l'épouser. Durant de nombreuses années, les proches de Claude-Michel s'opposent catégoriquement à cette union. En plus de son frère, l'intendant Michel Bégon, le gouverneur Philippe Rigaud de Vaudreuil refuse de lui accorder la permission de se marier ; à l'époque, pour pouvoir épouser une femme de rang social inférieur, les officiers militaires devaient en demander la permission. Plus déterminé que jamais, le couple décide alors de se marier *à la gaumine*. Mais les amoureux obtiendront finalement l'accord de leur entourage et convoleront en justes noces, selon les règles de l'Église, le 19 décembre 1718, à Montréal, et ils auront quatre enfants.

Au cours du XVIIIᵉ siècle, d'autres cas de mariage *à la gaumine* seront signalés. Aussi tardivement que le 9 octobre 1771, l'évêque de Québec, Mᵍʳ Jean-Olivier Briand, fait parvenir une lettre au curé de Sainte-Croix, le père Claude Loiseau, pour dénoncer un tel mariage qui vient d'avoir lieu dans sa paroisse et exiger de la part « des deux coupables de se séparer ». Dans une seconde lettre, rédigée le 11 octobre et adressée à tous les paroissiens de Sainte-Croix, l'évêque s'élève « assez fortement contre l'action scandaleuse de deux de leurs co-paroissiens qui ont osé se prendre en

mariage publiquement lorsqu'il subsistait un empêchement dont ils n'avaient pas demandé la dispense ».

Le 31 janvier 1789, c'est au tour de Mgr Jean-
François Hubert d'envoyer une lettre pastorale aux
habitants de Soulanges et de L'Île-Perrot dans laquelle
il dénonce « un garçon et une fille, cousins germains,
qui, dans l'église, en présence de quelques témoins, se
sont mutuellement donnés leur foi et – d'ajouter
l'évêque – ne rougissent pas de se regarder comme
validement mariés ».

Au sujet du mariage, saviez-vous qu'à l'époque de
nos premiers ancêtres les hommes, jusqu'à l'âge de
trente ans, et les femmes, jusqu'à l'âge de vingt-cinq
ans, devaient obtenir la permission de leurs parents
pour se marier ? Je vous invite à lire l'Annexe 2 pour
découvrir quelques règles et usages en cette matière,
dont la bénédiction du lit nuptial et les nombreuses
causes d'empêchement au mariage.

LES PLAISIRS... DU LUXE, DE LA CHAIR
ET DES FESTINS

La démarche de Mgr de Saint-Vallier décrite ici
pourra paraître étonnante, car, en octobre 1685, il
rédige un document intitulé *Avis donnés au
gouverneur et à la gouvernante sur l'obligation où ils
sont de donner le bon exemple au peuple.* Pour nous,
Québécois du XXIe siècle, il peut en effet sembler
surprenant que l'évêque se permette de faire

officiellement et ouvertement des recommandations morales au grand patron de l'administration civile du pays, ainsi qu'à son épouse et à leur très chère fille. Les noms des destinataires ne sont pas mentionnés, mais le prélat destine sûrement ses bons conseils à Jacques-René Brisay de Denonville, le nouveau gouverneur général de la Nouvelle-France, et à sa femme, Catherine Courtin de Tangueux, partis de La Rochelle et arrivés à Québec le 1er août 1685. Madame est alors enceinte et le couple a déjà deux filles, âgées de quatorze et de trois ans.

Le grand intérêt du contenu de cette lettre, par rapport au sujet de ce livre, c'est que l'évêque y dénonce des comportements libertins adoptés par de nombreuses brebis qui, selon lui, s'égarent en participant à des festins où l'on danse et où l'on porte des vêtements indécents.

Les festins

L'évêque recommande au gouverneur, lorsqu'il donnera un banquet, de l'offrir à l'heure du dîner, et non à celle du souper, afin d'éviter ainsi « les longues veilles, les passe-temps dangereux et les autres suites fâcheuses qui ont coutume d'arriver dans les festins et assemblées de nuit ». Éviter de tenir un bal où l'on danse serait également de mise, car, selon le prélat – prêtez attention à ce qui suit, bonnes gens de la ville de Québec –, cela « causerait un mal que l'expérience a fait reconnaître depuis longtemps pour l'un des plus grands de Québec » !

Le bal et les danses

L'évêque déconseille au gouverneur d'organiser ou de participer à un bal où la danse est prévue, « pour se préserver par là de la corruption qu'un tel amusement fait presque toujours glisser dans les consciences ».

Le luxe des habits

Mgr de Saint-Vallier exhorte le gouverneur et son épouse à ne pas « se montrer avec des habits fastueux et mondains ». Le souci de l'apparence serait l'un des pires défauts de nos ancêtres, particulièrement chez la Québécoise du temps : « Le luxe et la vanité des habits dans les filles et les femmes sont l'un des principaux désordres qui se remarquent ici depuis longtemps. »

Et l'évêque illustre davantage ses propos : « Ce faste des habits paraît premièrement dans les étoffes riches et éclatantes dont elles sont revêtues, et qui excèdent beaucoup leur condition et leurs moyens. » Mais ce faste ne se remarque pas seulement dans l'habillement, « il paraît encore dans les ajustements excessifs qu'elles mettent sur elles, dans les coiffures extraordinaires qu'elles affectent dans leurs têtes découvertes [...] et dans ces frisures immodestes ».

Mgr de Saint-Vallier fait le même constat que le voyageur suédois Pehr Kalm, en visite ici en 1749 et qui note ceci dans son journal :

Même à l'intérieur de la maison, les jeunes filles sont chaque jour habillées d'aussi magnifique façon que si elles étaient invitées à dîner chez le gouverneur général. Elles portent sur elles toute leur fortune, et même parfois davantage, rien que pour être splendides. Qu'il reste ou non quelque argent dans la bourse, on ne s'en préoccupe guère. Les hommes sont atteints du même mal dans le domaine de l'élégance vestimentaire [...]. Ils mettent presque toute leur fortune dans le vêtement et c'est pourquoi leurs enfants ne reçoivent pas grand héritage. Telles sont les préoccupations des femmes de Québec [...]. Elles se promènent en des parures dont la splendeur surpasse tout, exactement comme si elles se rendaient à la Cour [du roi]. Les jeunes filles de Montréal ne sont pas superficielles à ce degré-là.

Les poitrines provocantes

L'évêque implore la femme du gouverneur et sa fille de porter des robes décentes, en pourfendant les Québécoises en cette matière : « L'indécence et l'immodestie scandaleuse des habits mêmes qui paraissent dans les nudités d'épaules et de gorges qu'elles se contentent de couvrir de toiles transparentes, ce qui est absolument défendu. »

Ce qui horripile le prélat, c'est que « tous ces dérèglements prennent naissance dès le bas âge où l'on voit des petites filles, même celles qui sont de basse extraction [basse classe] parées et ajustées comme des poupées et que l'on fait paraître avec les épaules et les gorges nues, ce qu'elles continuent quand elles sont grandes et même mariées».

Dans sa conclusion, l'évêque s'exprime en ces termes : «Voilà les choses qu'on a jugées les plus propres à être représentées à Monsieur le Gouverneur et à Madame la Gouvernante sur les articles ci-dessus, et dans lesquels on ne doute pas qu'ils n'entrent volontiers suivant le zèle qu'ils font paraître l'un et l'autre pour tout ce qui peut contribuer à la gloire de Dieu et l'édification du prochain.»

L'AFFAIRE DU PRIE-DIEU

En 1694, la chicane éclate entre Mgr de Saint-Vallier et le gouverneur de Montréal, Louis-Hector de Callière, lors d'une cérémonie soulignant l'inauguration de l'église des récollets de Montréal. Une guerre protocolaire si vive qu'une solution devra être étudiée par le conseil privé du roi de France. Même si la conclusion de cette affaire demeure frustrante, en raison du manque de détails dans les archives, ce fait divers comporte tout de même de savoureux passages.

En vertu d'un règlement royal, il est convenu que le gouverneur général de la Nouvelle-France a le privilège d'avoir son prie-Dieu dans une église et que celui-ci peut être placé à côté de celui de l'évêque. Toutefois, le règlement ne stipule rien au sujet du gouverneur de Montréal. En 1694, le gouverneur général de la Nouvelle-France est Frontenac et le gouverneur de Montréal est M. de Callière.

Conservé aux Archives nationales du Québec, un mémoire rédigé par un témoin de l'époque relate cet incident protocolaire :

> M. l'évêque de Québec, ayant été prié par le supérieur des récollets de Ville-Marie [Montréal] de se trouver à la cérémonie de la profession de deux de ses religieux, s'aperçut en entrant dans l'église qu'on avait placé son prie-Dieu à côté de la chapelle, dans un lieu beaucoup moins honorable que celui de M. de Callière, lequel était au milieu de l'église, sans aucune marque de distinction pour l'évêque […].

> L'évêque, surpris d'un procédé si extraordinaire, envoya dire au Père supérieur par un de ses ecclésiastiques qui était auprès de lui, de faire ôter le prie-Dieu de M. de Callière et le remettre en sa place ordinaire, ce qui fut exécuté après quelques contestations […].

> Dès le moment que M. de Callière fut arrivé, il fit prendre son prie-Dieu par deux officiers et un soldat et le fit mettre au milieu.

Piqué au vif, on le devine bien, Callière monte le ton, clamant que cet honneur lui est dû. Insulté et voulant affirmer ses droits de préséance, Mgr de Saint-Vallier menace de quitter les lieux. Si tel est son désir, lui répond Callière, il n'a qu'à partir. Comme le précise l'intendant Champigny dans une lettre, finalement «l'évêque se retira sans faire la cérémonie qui fut faite par le supérieur» des récollets.

Mais Mgr de Saint-Vallier n'entend pas lâcher le morceau aussi facilement. Peu de temps après, soit le 13 mai 1694, il fait parvenir une lettre au supérieur des récollets. En plus de lui faire part de son étonnement sur l'attitude de ces religieux, qui ont laissé faire le gouverneur de Montréal, l'évêque annonce des représailles : « Nous vous ordonnons, sous les peines de droit, de fermer la porte de votre église, de ne point célébrer le saint sacrifice de la messe, ni faire aucune fonction de votre ministère devant aucun laïc.» Et il précise que sa décision demeurera en vigueur tant que le roi de France n'aura pas lui-même convenu de maintenir ou de modifier les règles protocolaires relatives aux prie-Dieu dans une église.

Malgré l'ordre de l'évêque, la résistance s'organise chez les récollets, qui continuent d'exercer leur ministère. L'ayant appris, Mgr de Saint-Vallier les somme par écrit, le 19 juillet 1694, de lui obéir. Mais en vain, car les récollets optent pour la désobéissance, faisant aussi fi de deux autres avis, datés du 9 août et du 15 septembre 1694.

Dans un mémoire non signé et non daté, un témoin relate qu'après avoir essayé la méthode douce l'évêque sort l'artillerie lourde, en formulant une ultime menace :

> Les récollets ayant refusé d'obéir à ces trois monitions, l'évêque rendit enfin sa sentence le 15 septembre par laquelle réitérant les défenses faites de dire la messe, il défend encore en particulier au supérieur et à tous les religieux sous peine d'excommunication encourue *ipso facto* de prêcher et de confesser dans Ville-Marie.

Informé de la menace planant sur les récollets, le gouverneur Callière en rajoute. « Dès le moment que cette publication [la menace d'excommunication] eut été faite, de Callière fit publier le même jour par toute la ville, et même à la porte de l'église, au son du tambour pendant que le service divin se faisait, un mandement dans lequel il se plaint que M. l'évêque l'avait attaqué et insulté par des faussetés et s'était servi de termes injurieux à sa réputation et à son honneur », indique-t-on dans le mémoire cité ci-dessus.

Dans une lettre envoyée au ministre responsable de la colonie, datée du 19 octobre 1694, Callière dénonce l'attitude de l'évêque dans l'affaire du prie-Dieu et fait cette demande : « Comme cette affaire regarde l'avilissement de l'autorité du Roi dans le caractère de gouverneur que j'ai l'honneur d'avoir, j'espère, Monseigneur, que vous aurez la bonté de mettre ordre à ces entreprises afin de restreindre messieurs du clergé de ce pays dans les bornes de leur ministère.» Le point de vue du gouverneur est clair : il veut les mêmes honneurs que ceux réservés au roi de France.

Comment cette affaire des prie-Dieu s'est-elle conclue ? La réponse à cette question est frustrante : les recherches les plus complètes sur ce cas ne mentionnent pas si les règles protocolaires furent modifiées ou non. Au sujet de l'interdiction d'exercer leur ministère imposée aux récollets, précisons que dans un document royal rédigé à Versailles le 13 juin 1695 on mentionne que ce cas a été envoyé au conseil privé du roi pour étude. La conclusion du conseil privé a dû être défavorable à l'évêque, car Mgr de Saint-Vallier, le 15 juillet 1695, alors qu'il est à Paris, fait parvenir «à qui de droit» une ordonnance intitulée *Ordonnance de Mgr de Saint-Vallier qui lève l'interdit contre les Récollets de Montréal*. Parions que M. de Callière a dû bien rigoler dans sa barbe.

DES CHAUFFARDS INVÉTÉRÉS

Jouir de brûler un feu rouge. Mettre en péril la vie des piétons. Improviser une course en roulant sur une autoroute ou un boulevard. Doubler par la droite, sur l'accotement, dans une lente et lourde circulation. Quand les Québécois conduisent un véhicule, tous constatent, y compris les touristes effarés, qu'ils sont trop souvent dangereux, indisciplinés, voire hystériques.

Rouler à tombeau ouvert, *en fou*, comme dirait mon voisin, est un trait culturel qui a des racines très profondes chez l'*Homo quebecensis*, remontant à bien avant l'invention de l'automobile. Comme de nos jours, les policiers de la Sûreté du Québec n'auraient pas du tout chômé s'ils avaient vécu à l'époque de la Nouvelle-France. Au sortir de la messe du dimanche, nos ancêtres devenaient tellement dangereux en conduisant leur véhicule que l'intendant Michel Bégon se voit obligé, en février 1716, de publier l'*Ordonnance qui défend aux habitants de faire galoper leurs chevaux et leurs carrioles à la sortie de l'église* :

> Sur ce qui nous a été représenté que dans les grands chemins, et particulièrement à la sortie de l'église, quelques habitants poussent les chevaux attelés à leurs carrioles, ou ceux sur lequel ils sont montés, avec tant de vitesse qu'il arrive souvent que, n'en n'étant plus les maîtres, ils renversent les carrioles qui se trouvent sur le chemin, et même des gens auxquels ils ne donnent pas le temps de se ranger, d'où il est arrivé déjà plusieurs accidents fâcheux [...]. Nous faisons défense à toutes personnes, tant ceux qui conduiront des carrioles que ceux qui monteront leurs chevaux, de les faire trotter ou galoper quand ils sortiront de l'église, avant d'en être éloignés de dix arpents, ensuite pourront donner à leurs chevaux le train [la vitesse] qu'ils voudront [...]. Leur ordonnons, lorsqu'ils trouveront des gens à pied dans

leur chemin, de s'arrêter et même de se détourner afin de leur donner le temps de se retirer, le tout sous peine de vingt livres d'amende contre chacun.

Ce rappel à l'ordre des autorités civiles, relativement à l'indiscipline et à la négligence des conducteurs, n'était pas le premier. Le 16 août 1710, par exemple, l'intendant Jacques Raudot avait dû formuler une ordonnance en raison de l'insouciance des chauffards de Batiscan et de leurs semblables des autres villages du pays :

> Ayant été informé du scandale qui arrive à Batiscan pendant le service divin par la liberté que se donnent les habitants qui y viennent de laisser vaquer leurs chevaux proche de l'église, lesquels n'étant point attachés, courent et se battent les uns contre les autres, ce qui fait que ceux à qui ils appartiennent sont obligés d'en sortir [durant la messe], et comme cela cause beaucoup de distractions et que cela va contre le respect qu'on doit à l'église et au service divin et que d'ailleurs il ne convient point de laisser des chevaux si proche de l'église à cause du bruit et des hennissements qu'ils peuvent faire.

Raudot ordonne alors qu'on laisse désormais les chevaux dans un lieu situé à une distance d'au moins deux arpents de l'église de Batiscan et qu'on les attache pour les empêcher de courir partout. Le 24 décembre

1715, c'est l'intendant Michel Bégon qui avait publié une ordonnance similaire, s'adressant cette fois aux habitants de Lotbinière.

Les règlements édictés par les autorités civiles ne vont toutefois pas éteindre le feu de la passion d'organiser des courses de chevaux près des églises le dimanche. Des décennies plus tard, ce genre de sport extrême est plus populaire que jamais. Par exemple, le 8 octobre 1771, Mgr Jean-Olivier Briand expédie au curé de Saint-Jean-Port-Joli, Pierre-Antoine Porlier, un mandement exigeant que cessent les courses de chevaux le dimanche et précisant que les coupables se verraient désormais privés de recevoir les sacrements de l'Église.

Dans ce mandement, l'évêque ordonne de plus au premier marguillier, Jean Chouinard, de s'excuser publiquement à la porte de l'église d'avoir injurié son curé qui cherchait à empêcher une course. Le curé était allé rencontrer un groupe de paroissiens réunis dans la maison d'un dénommé De Gaspé pour leur interdire de tenir une course de chevaux. On lui fit clairement savoir que cette course aurait lieu, mais, pour éviter un accident, on lui recommanda amicalement de rester bien en retrait de la scène. Le curé aurait alors répliqué que les téméraires qui se tueraient dans cette course seraient enterrés dès le lendemain, afin qu'il empoche rapidement tout l'argent des frais de la messe des funérailles! C'est à ce moment que le marguillier Chouinard aurait dit que cette déclaration spontanée du curé était « une folie de prêtre ».

Pour punir Chouinard, l'évêque lui interdit d'aller à confesse, de porter un enfant lors d'un baptême et de signer comme témoin lors d'un mariage. Le 4 décembre 1771, le curé Porlier informe l'évêque que le marguillier refuse catégoriquement de s'excuser. Selon le curé, ce dernier aurait déclaré : « J'aime mieux que la tête parte de dessus mes épaules que de faire un pas. » Le 27 janvier 1772, le curé se rend chez Chouinard pour le convaincre d'obéir à son évêque. Mission accomplie, car, dans une autre lettre à Mgr Briand, le curé Porlier confirme que le mouton noir est de retour au bercail après s'être finalement excusé publiquement.

ON SE DÉNUDE À LA PRAIRIE

Quand le chat n'est pas là, les souris dansent follement et parfois... se déshabillent allègrement. À son retour d'un séjour en France, Mgr de Saint-Vallier est informé que des habitants de La Prairie ont développé l'inconvenante habitude de se promener... en très petite tenue durant la saison estivale. Selon lui, il s'agit d'une « détestable coutume que nous regardons comme pernicieuse à la société civile, aussi bien qu'aux bonnes mœurs ».

Visiblement secoué par un tel étalage public de chair fraîche attrayante, le 28 mai 1719, l'évêque fait parvenir une lettre au curé de La Prairie pour qu'il somme sans délai ses paroissiens devenus adeptes de l'exhibitionnisme estival de cesser immédiatement ce comportement licencieux :

C'est avec douleur que nous avons appris à notre retour de France le mauvais usage où vous étiez de paraître contre la bienséance en simple chemise, sans caleçon et sans culotte pendant l'été pour éviter la grande chaleur – ce qui nous a d'autant plus surpris que nous voyons violé[es] par là les règles de modestie que l'Apôtre demande dans tous les chrétiens, une occasion si prochaine de péché à vous et aux autres personnes qui peuvent vous voir dans cet état – nous mettent dans l'obligation de vous représenter le nombre innombrable de péchés dont vous vous trouverez coupables à l'heure de la mort.

Dans la conclusion de sa lettre, le prélat laisse clairement entendre qu'il n'est pas du tout d'humeur à rire et il prévient que les quasi-nudistes devront aller se rhabiller, car, écrit-il, « Nous sommes déterminé à demander à monsieur le marquis de Vaudreuil, gouverneur général de tout le pays, à s'employer à nous aider à déraciner dans votre paroisse une si détestable coutume qui serait la cause assurée de la damnation d'un grand nombre de pères de famille, aussi bien que des enfants ».

FAIRE SES PÂQUES

Autrefois, les malheureux individus qui n'avaient pas accompli leur devoir pascal ont dû rendre leur entourage très nerveux. À l'époque, selon la légende populaire, ceux qui n'étaient pas allés se confesser durant le temps de Pâques se métamorphosaient en loup-garou. Voici deux exemples dénoncés par les autorités religieuses.

Le 23 mai 1719, Mgr de Saint-Vallier expédie une lettre à Gervais Lefebvre, le curé de Batiscan, pour semoncer quelques-uns de ses paroissiens qui négligent ouvertement de faire leurs Pâques. Se disant attristé de constater que des individus fautifs ont déjà fait fi de deux rappels à l'ordre de leur curé à ce sujet, l'évêque ajoute : « Nous ordonnons de faire une troisième monition à la messe de paroisse après laquelle, s'ils ne se mettent à leur devoir, nous désirons que vous nommiez leurs noms publiquement, surtout ceux des deux frères Laurent et Jacques Bessier, que nous ne manquerons pas de déclarer excommuniés s'ils ne satisfont pas à leur communion pascale. »

Un autre cas est relaté par Mgr Jean-Olivier Briand dans une lettre adressée, le 25 avril 1770, au curé de Saint-Thomas, Jean-Baptiste Petit-Maisonbasse. Comme Mgr de Saint-Vallier, le prélat se dit peiné que les délinquants aient passé outre aux avertissements servis par leur curé. En conséquence, il commande ceci au curé Petit-Maisonbasse : « Vous ferez mention, sans nommer les personnes, que je vous ai ordonné de m'envoyer le nombre de ceux qui ne se seraient pas présentés pour remplir les devoirs de Pâques, que c'est pour la dernière publication, que lesdites personnes délinquantes qui n'auront pas satisfait, à la Pentecôte, soit par un certificat de vous, soit de tout autre confesseur sur votre billet de permission, seront exposées à l'excommunication. »

Puni par Satan, croyait-on, le coupable qui négligeait de *faire ses Pâques* demeurait parfaitement normal le jour, mais se transformait chaque nuit en loup-garou, pour une période de sept ans et sept mois. Selon les régions, la légende connaissait des variantes, la personne pouvant devenir un chat, un cheval, un bœuf, un chien ou un cochon. Quand on soupçonnait quelqu'un d'être devenu un loup-garou, ou de *courir le loup-garou*, on pouvait le délivrer de son mauvais sort en lui causant une blessure afin que le sang coule ; aussitôt, la bête disparaissait et la personne retrouvait sa forme normale. Un animal qui s'acharnait à rôder près d'une personne constituait un indice sérieux de la présence possible d'un méchant loup-garou.

Cette légende a survécu très longtemps dans la culture populaire. Au cours d'une enquête ethnologique réalisée en 1969 dans plusieurs régions du Québec, Denise Rodrigue a recueilli des dizaines de témoignages auprès de personnes âgées qui avaient entendu parler d'histoires de loups-garous. Voici deux exemples. Un homme de Nicolet avait été informé du cas d'un jeune garçon qui avait remarqué qu'un bœuf venait tous les soirs lécher les vitres de la maison. Fatigué du comportement de la bête, le garçon alla l'attacher dans l'étable. Le lendemain, son choc fut grand quand il vit son père attaché à la place du bœuf! Un citoyen de Valleyfield a confié avoir connu un homme de Trois-Rivières qui, un jour, se dirigeait en carriole vers Shawinigan. Un cheval solitaire ne cessait de le suivre. Finalement, il lui asséna des coups de fouet pour le faire déguerpir. L'animal se mit alors à saigner et, *subito presto*, apparut un homme qui remercia le Trifluvien de l'avoir délivré de l'emprise du diable.

Plusieurs penseront qu'il s'agit là de croyances ridicules de gens naïfs, superstitieux et peu instruits. «Des histoires de grands-mères», dira-t-on. Mais alors, que faut-il penser de cette nouvelle publiée dans le journal *La Gazette de Québec*, le 10 décembre 1767, au sujet d'un phénomène observé à Kamouraska?

De Kamouraska, le 2 décembre. Nous apprenons qu'un certain loup-garou, qui roule en cette province depuis plusieurs années, et qui a fait beaucoup de dégâts dans le district de Québec, a reçu plusieurs assauts considérables au mois d'octobre dernier, par divers animaux que l'on avait armés et déchaînés contre ce monstre et notamment le trois novembre suivant, qu'il reçut un si furieux coup par un petit animal maigre que l'on croirait être entièrement délivré de ce fatal animal, vu qu'il est resté quelque temps retiré de sa tanière, au grand contentement du public. Mais l'on vient d'apprendre, par le plus funeste des malheurs, que cet animal n'est pas entièrement défait, qu'au contraire il commence à reparaître plus furieux que jamais et fait un carnage terrible partout où il passe. *Défiez-vous donc tous des ruses de cette maligne bête et prenez bien garde de tomber entre ses pattes.*

Nouvelle étonnante, n'est-ce pas? Les lecteurs les plus sceptiques peuvent toujours aller consulter cette édition de *La Gazette de Québec*, conservée sur microfilm dans les bibliothèques universitaires.

Quelle que soit l'époque, une légende frappe puissamment l'imagination populaire, car elle colporte un fait potentiellement crédible. Tout le monde en parle, mais, on le remarquera, on ne peut jamais identifier avec certitude les témoins oculaires de l'événement, toujours rapporté par une tierce personne. Quand nos enfants seront devenus des grands-parents, raconteront-ils à leurs petits-enfants des histoires étonnantes survenues à la fin du XXᵉ siècle? Parleront-ils de cette voiture aux vitres teintées qui, disait-on, vous poursuivait la nuit, sur l'autoroute 20, entre Montréal et Québec, quand vous osiez lui signaler avec vos phares que les siens étaient éteints? Auront-ils cru en l'existence d'un individu qui, muni d'une seringue, s'amusait à injecter le virus du sida dans des discothèques de Montréal? Mentionneront-ils que les médias rapportaient qu'une femme, habillée de vêtements blancs, apparaissait et disparaissait dans le parc des Laurentides, entre Québec et Chicoutimi?

UN LIBERTIN EXTRADÉ

Dans une lettre datée du 28 septembre 1742, le sixième évêque de Québec, Mgr Henri-Marie Dubreil de Pontbriand, demande au ministre responsable de la colonie de prendre les mesures appropriées afin de mieux évaluer la qualité des citoyens français qu'on autorise à venir s'établir en Nouvelle-France : « Je n'ai pu m'empêcher de vous représenter que rien n'est plus préjudiciable au bien du pays que le grand nombre de mauvais sujets qu'on y envoie. »

Né en 1708 à Vannes, en France, Henri-Marie Dubreil de Pontbriand arrive à Québec le 29 août 1741 et décédera à Montréal le 8 juin 1760.

En octobre 1742, l'évêque a bien en vue dans sa mire un individu dont il surveille attentivement les allées et venues : Jacques Nouët dit la Souffletterie. Les rares détails biographiques que l'on ait sur cet homme sont révélés par l'historien Marcel Trudel dans son ouvrage *L'esclavage au Canada français*. Ce personnage est réputé « sans feu ni lieu », c'est-à-dire sans domicile connu, et, à titre de praticien, il aidera l'esclave Marguerite Duplessis à se défendre devant les tribunaux afin de lui éviter une déportation aux Antilles pour y être vendue à un nouveau propriétaire. Précisons qu'à l'époque un accusé ne peut pas être représenté au tribunal par un avocat, mais on accepte qu'une tierce personne l'aide à plaider sa cause.

Le 30 octobre 1742, dans une autre lettre au ministre de la Colonie, le prélat affirme ne pas être le seul à en avoir ras le bol de Jacques Nouët. De nombreuses plaintes formulées contre cet individu ont été portées à son attention par un curé, par un citoyen de Québec, un dénommé Larcher, et par le responsable de la police, Pierre André de Leigne, qui a lui aussi reçu des plaintes de plusieurs autres citoyens.

Que demande Mgr de Pontbriand au ministre ? « Je vous supplie, monsieur, de le faire passer en France, la colonie n'y perdra rien », écrit-il, en ajoutant que « c'est le seul moyen de remédier à cet abus ». Une des conduites scandaleuses de ce dévergondé, dénoncée par l'évêque, est la suivante :

> Un nommé Nouët dit la Souffletterie, qui fait la fonction de procureur et qui n'est ici que depuis quelques années, demeure chez une femme dont le mari est absent et qui a fait beaucoup parler d'elle. Ces deux personnes causent du scandale [...]. Je l'ai averti deux fois de sortir de cette maison, mais toujours inutilement. Il l'avait promis à M. l'intendant, mais il n'en veut plus rien faire.

Dans son projet de se débarrasser d'un mouton noir, l'évêque a certainement dû apprécier l'appui de l'intendant Gilles Hocquart, qui écrit ceci au ministre le 3 novembre 1743 :

100

Le nommé Nouët dit la Souffletterie, de la conduite duquel M. l'évêque vous a rendu compte, est un mauvais sujet qui m'a donné plus d'une fois occasion de le corriger sévèrement. Après plusieurs avertissements inutiles, j'ai été obligé, à mon retour de Montréal, de le tenir à Québec près de deux mois en prison. Il n'y a point de chicanes dont il ne soit capable dans l'exercice de sa profession de praticien, infidèle dans les dépôts, solliciteur de mauvais procès, indiscret dans ses discours et ses écrits de mauvaises mœurs.

C'était écrit dans le ciel et les carottes sont bien cuites pour l'emmerdeur Jacques Nouët quand l'intendant Hocquart lui ordonne officiellement de retourner en France, ce que Noüet fait le 3 novembre 1743 en montant à bord du navire *Le Mars*, dont la destination est le port de La Rochelle. Les archives ne mentionnent pas si Hocquart et Pontbriand étaient assis aux premières loges sur le quai d'embarquement du port de Québec pour applaudir à tout rompre et souffler dans les voiles du bateau.

LES DÉLINQUANTS DU *PAIN BÉNIT*

Au cours du XVIIIe siècle, plusieurs de nos ancêtres se font solidement et publiquement rabrouer en raison de leur refus d'apporter un pain devant servir à la cérémonie du *pain bénit* lors de la messe dominicale.

Par exemple, Jacques Turcot, de Sainte-Famille, sur l'île d'Orléans, et François Linctot, de Boucherville, font partie des récalcitrants qui font trembler les colonnes du temple.

Très ancienne coutume française, la cérémonie du pain bénit s'est perpétuée en Nouvelle-France, pour être finalement et officiellement abolie par Mgr Elzéar-Alexandre Taschereau au XIXe siècle. À tour de rôle, les paroissiens avaient l'obligation d'apporter un pain que le prêtre allait bénir et ensuite distribuer aux fidèles.

Les origines

Dans le *Bulletin de recherches historiques* de 1912, l'abbé Charles Trudelle mentionne ceci sur les origines de cette coutume : «Un concile de Nantes, tenu vers 660, parle des *euloges* ou des parties de pain coupées et qu'on devait donner après la messe à ceux qui n'avaient pas communié. Des savants commentateurs croient apercevoir là l'institution du pain bénit tel qu'elle a existé parmi nous.» Toujours selon Trudelle, le pape Léon IV encourageait cette cérémonie au IXe siècle et, à la suite du concile tenu à Winchester, en Angleterre, au XIIIe siècle, on ordonna aux prêtres de refuser désormais de donner le pain bénit aux criminels, une privation considérée comme hautement humiliante à l'époque.

En Nouvelle-France

L'une des premières mentions de cette coutume se trouve dans le *Journal des Jésuites*. On y rapporte que, durant la période de Noël de l'année 1645, «le pain bénit du dimanche fut transporté au lundi, jour de la Circoncision», et que «monsieur le gouverneur le donna».

Dès le XVIIᵉ siècle, cependant, certains de nos ancêtres se rangent dans le camp des détracteurs de cette célébration. Les marguilliers de la paroisse de Québec ayant porté plainte auprès des autorités civiles à ce sujet, le gouverneur Courcelle publie donc, le 3 janvier 1670, l'*Ordonnance pour que le pain bénit soit rendu* :

> Sur ce qui a été représenté par les marguilliers de l'église de Québec, que plusieurs paroissiens habitants de ladite ville et des environs refusent de rendre le pain bénit à leur tour, quoi qu'ils y soient naturellement obligés en qualité de paroissiens [...] ordonné et ordonne que tous les habitants, tant de cette ville que des villages des environs, rendront le pain bénit à leur tour en l'église ou chapelle où ils seront obligés de faire leurs Pâques, à peine d'amende arbitraire contre les contrevenants, applicable à l'hôpital de cette ville et sera le présent Arrêt publié au prône et affiché.

Mais au cours du siècle suivant, l'opposition à cette coutume persiste et de nombreuses ordonnances devront être publiées par les dirigeants de la colonie. Alors que dans certaines paroisses on se chicane sur des règles protocolaires relatives à la façon de distribuer le pain bénit, dans d'autres on montre du doigt ceux qui refusent de participer. Voyons quelques exemples.

Le 20 octobre 1707, une ordonnance se révèle nécessaire pour imposer des règles sur la distribution des morceaux de pain à l'église de la paroisse de Notre-Dame de Foy, car les notables et roitelets de l'endroit se disputent sur l'ordre de préséance. L'intendant doit désigner quelle personne recevra le premier morceau, le deuxième, le troisième, et ainsi de suite.

Le 9 juillet 1721, à la demande du curé Arnaud, une ordonnance précise que « les habitants de Berthier, de Sorel et de l'île Dupas rendront à leur tour le pain bénit à l'église de l'île Dupas où ils seront desservis, à peine de trois livres d'amende ».

Le 21 juin 1723, on somme un dénommé Vaillancourt de « donner le pain bénit à la paroisse de Saint-Antoine de Tilly le jour qui lui sera indiqué par les marguilliers de ladite paroisse, à peine de trois livres d'amende ».

Le 7 février 1725, c'est au tour de Jacques Turcot, un habitant de Sainte-Famille, sur l'île d'Orléans, d'être forcé de « rendre le pain bénit dimanche prochain, à peine de trois livres d'amende applicable à la fabrique de ladite paroisse ».

Mais le cas le plus spectaculaire est celui de Marie de Pécaudy de Contrecœur, qui est poursuivie en justice pour avoir refusé d'offrir le pain bénit. Elle est la veuve de Jean-Louis de Lacorne, sieur de Chapt, qui fut lieutenant royal à Montréal et chevalier de Saint-Louis.

Le 10 septembre 1742, on annonce à Marie de Pécaudy qu'elle devra bientôt offrir le pain bénit dans sa paroisse. Sans opposer un refus total, elle a cependant le malheur de poser des conditions. Offusqués, le curé Antoine Déat et ses marguilliers engagent une poursuite contre elle ; ils exigent qu'elle offre le pain et qu'elle fasse aussi la quête à la messe, pour respecter la tradition, à défaut de quoi la cérémonie aura tout de même lieu, mais aux frais de la bonne dame.

Au tribunal de première instance, on apprend que la défenderesse avait accepté de faire faire un pain chez le boulanger Latour, mais refusé de faire elle-même la quête, pour des raisons de santé. En contrepartie, elle avait proposé à sa future belle-fille de la remplacer, mais celle-ci avait décliné l'offre. Une fille d'un bourgeois de Montréal avait accepté de faire la quête, mais cette proposition fut repoussée par les marguilliers.

La décision rendue le 14 septembre 1742 a dû grandement déplaire au curé Déat et aux marguilliers – Jacques Charly, Louis Cavalier et Pierre Courault Lacoste –, car ils font appel du jugement en s'adressant au tribunal du Conseil supérieur. Ce tribunal rend sa décision le 17 décembre 1742 : Marie de Pécaudy doit offrir le pain bénit, mais, pour ce qui est de la quête, elle pourra la faire elle-même « ou la faire faire par une personne de sa famille ou de sa condition [rang social] en l'église paroissiale de Montréal ».

Une tradition contestée

Si l'on tient compte qu'à la même époque la coutume du pain bénit fait l'objet d'une vigoureuse contestation en France, peut-on reprocher à certains de nos ancêtres d'avoir eux aussi été contestataires ?

Rédigé et publié entre 1751 et 1780, le réputé *Dictionnaire raisonné des sciences, des arts et des métiers,* de Diderot et D'Alembert, consacre un long texte à la coutume du pain bénit. Puisqu'une encyclopédie devrait décrire en toute objectivité des faits sur les activités humaines dans tous les domaines, sans les accompagner d'opinions personnelles, il est étonnant de constater que les auteurs présentent une charge à fond de train contre cette coutume. On dénonce, en particulier, les dépenses folles liées à cette tradition, qui auraient pris des proportions frisant l'indécence et le ridicule. Ce virulent pamphlet étant très instructif, le voici, reproduit intégralement :

> Pour conserver la mémoire de l'ancienne communion, qui s'étendait à tous, on continua la distribution d'un pain ordinaire que l'on bénissait, comme l'on fait de nos jours.

Au reste, le goût du luxe et d'une magnificence onéreuse à bien du monde s'étant glissé jusque dans la pratique de la religion, l'usage s'est introduit dans les grandes villes de donner au lieu de pain, du gâteau plus ou moins délicat et d'y joindre d'autres accompagnements coûteux et embarrassants, ce qui constitue les familles médiocres en des dépenses qui les incommodent et qui seraient employées plus utilement pour de vrais besoins.

On sait qu'il y a dans le royaume plus de quarante mille paroisses où l'on distribue du pain bénit, quelques fois même à deux grands-messes en un jour, sans compter ceux des confréries, ceux des différents corps des arts et du négoce. J'en ai vu fournir vingt-deux pour une fête par les nouveaux maîtres d'une communauté de Paris. On s'étonne qu'il y ait tant de misère parmi nous, et moi voyant nos extravagances et nos folies, je m'étonne bien qu'il n'y en ait pas encore davantage.

Quoi qu'il en soit, je crois qu'on peut du fort au faible estimer la dépense du pain bénit, compris les embarras et les annexes, à quarante sous environ pour chaque fois qu'on le présente. S'il en coûte un peu moins dans les campagnes, il en coûte beaucoup plus dans les villes et bien des gens trouveront mon appréciation trop faible ; cependant, quarante mille pains à quarante sous pièce font quatre-vingt mille livres, somme qui multipliée par cinquante-deux dimanches fait plus de quatre millions par an.

Qui empêche qu'on n'épargne cette dépense au public ? On l'a déjà dit ailleurs, le pain ne porte pas plus bénédiction que l'eau qu'on emploie pour le bénir et, par conséquent on peut s'en tenir à l'eau qui ne coûte rien et supprimer la dépense du pain laquelle devient une vraie perte.

Si vous voulez savoir comment se déroulait cette cérémonie dans nos églises, lisez, à l'Annexe 3, le texte du chanoine V.-A. Huard qui décrit la façon dont on observait cette coutume dans la paroisse de Saint-Roch, à Québec, vers 1860.

DE BAL EN BAL

Étant peut-être devenue plus sage avec les années, Marie-Élisabeth Rocbert, celle qui s'est mariée *à la gaumine*, se déclare scandalisée par les bals organisés dans la *bonne société* de Montréal. Dans une lettre destinée à son gendre, Michel de La Rouvilliaire, qu'elle appelait affectueusement « cher fils » dans sa correspondance et qui était commissaire ordonnateur en Louisiane, elle s'amuse à jouer la « bavasseuse » de village quand elle dénonce le comportement de certaines dames de bonnes familles montréalaises. Voici ce qu'elle écrit le 9 janvier 1748 :

> Le croiras-tu, cher fils, que cette dévote Mme Verchères a fait danser toute la nuit dernière ? Nos prêtres vont joliment prêcher : le jour de la Notre-Dame, dans l'avent, donner le bal ! Ce qu'il y a de beau, c'est que demain, il y en a un autre chez Mme Lavaltrie, après-demain chez Mme Bragelone. Voilà de quoi désespérer M. le Curé.

Qui est cette « Mme Verchères » ? Quand on consulte le dictionnaire généalogique de René Jetté, on conclut qu'il s'agit de Madeleine-Françoise Ailleboust de Manthet, l'épouse de Jean-Baptiste Jarret, sieur de Verchères. Jean-Baptiste, le seul Verchères vivant à Montréal en 1748, n'est nul autre que le frère de notre héroïne nationale, Madeleine Jarret de Verchères, dont les exploits sont bien connus, elle qui s'est défendue contre une attaque d'Amérindiens, mais qui a aussi été la première, avec son mari, à acheter légalement un esclave, par acte notarié, le 15 juin 1709 ; l'esclavage en Nouvelle-France avait été rendu légal le 13 avril 1709 par l'intendant Raudot. Quant à Mme Bragelone, il s'agit de Barbe Margane de Lavaltrie, femme du militaire Étienne Bragelone, seigneur de Montarville ; le couple s'était marié à Montréal le 27 novembre 1719.

Les intuitions de Marie-Élisabeth Rocbert étaient fondées, puisque son curé a effectivement dénoncé les bals dans un de ses sermons à l'église. Le 26 janvier 1748, elle rapporte ceci à son gendre, sur la colère de son pasteur :

> Il a été prêché ce matin un sermon par M. le curé sur les bals. Tu le connais et ne seras point surpris de la façon dont il a parlé, disant que toutes les assemblées, bals et parties de campagne étaient tous infâmes, que les mères qui y conduisaient leurs filles étaient des adultères, qu'elles ne se servaient de ces plaisirs nocturnes que pour mettre un voile à leurs impudicités et à la fornication, et, faisant le geste de ceux et celles qui dansent, il dit : « Voyez-vous ces airs lascifs qui ne tendent qu'à des plaisirs honteux, que résulte-t-il – en s'écriant – de toutes ces abominations ? Des querelles et des maladies honteuses. »

Le curé avait sûrement raison de veiller au grain, car certains bals tournaient parfois en joyeuses bacchanales ! Mme Rocbert en fut elle-même témoin et, le 22 janvier 1749, elle confie ceci à son gendre :

> Il y a eu de belles soûleries hier, au dîner chez M. Lantagnac. Tous furent, comme on l'avait dit, cher fils, danser un menuet avec peine [...]. Il y fut bu encore beaucoup de vin, surtout cinq bouteilles entre M. de Noyan et Saint-Luc qui, comme tu penses, restèrent sur place [trop ivres pour bouger].

On mit Noyan dans une carriole, en paquet, et on l'amena chez lui. Les autres se retirèrent chacun chez eux.

Ce bal a eu lieu chez Gaspard Adhémar de Lantagnac, qui était alors âgé de soixante-huit ans. Né à Monaco en 1681, il avait épousé Geneviève Martin de Lino, à Québec, le 7 mars 1720. Au moment de ce bal, il était le lieutenant du roi. En 1755, il assura l'intérim quand mourut le gouverneur de Montréal, Charles Le Moyne de Longueuil. M. Lantagnac rendit l'âme à Montréal le 7 novembre 1756.

UN CURÉ INSULTANT

En ce 18 avril 1757, dans son palais épiscopal, Mgr de Pontbriand est fou de rage contre le curé de la localité de Grondines. Dans une ordonnance, il dénonce le comportement odieux du curé Jacques Hingan et lui inflige une sévère correction.

Né le 6 février 1729 en Normandie, Jacques Hingan arrive en Nouvelle-France en 1753 et, le 17 novembre de la même année, il est ordonné prêtre à Québec. De 1754 à 1763, il est le curé de Grondines, un village de la région de Portneuf. Il décédera à L'Islet, le 19 août 1779.

L'évêque identifie ainsi les deux plaignants dans cette affaire : « les nommés Grondines père et fils », sans donner leurs prénoms. Il s'agit sans doute de

François Hamelin dit Grondines et de son fils, François-Xavier, tous deux descendants de François Hamelin, copropriétaire de la seigneurie des Grondines, décédé en 1725.

Dans un sermon à l'église, Hingan a insulté publiquement les Hamelin dits Grondines. Les insultes ont dû être particulièrement mordantes puisque les victimes se sont aussi plaintes auprès du lieutenant-général civil et criminel, qui a déjà rendu une ordonnance contre Hingan, soit le 30 mars 1757.

Devant des faits accablants, l'évêque n'a pas le choix : il doit, lui aussi, ramener à l'ordre son curé.

Après avoir aujourd'hui [18 avril 1757] interrogé le susdit missionnaire, nous avons reconnu qu'il avait manqué essentiellement [s'était trompé] et s'était servi, au prône de la messe paroissiale, de termes injurieux contre lesdits Grondines père et fils, le premier dimanche du carême dernier. Et étant de notre devoir de ne pas laisser impunie une faute de cette nature, nous avons ordonné et ordonnons audit missionnaire de se rétracter à la première messe paroissiale qu'il dira en ladite paroisse de Grondines, et de dire qu'il se repent d'avoir nommé publiquement les sieurs Grondines père et fils, qu'il désavoue les paroles dures dont il s'est servi à leur égard, qu'il les reconnaît pour des gens d'honneur et de probité, et

qu'il prie ses paroissiens d'oublier entièrement ce qui lui a pu échapper en cette
occasion.

Mais ce n'est pas tout. En plus de devoir présenter
ses excuses publiquement dans sa paroisse, Hingan est
convié à faire un petit séjour de réflexion, du 19 juin à
la mi-juillet 1757, au Séminaire de Québec «pour y
prendre l'esprit ecclésiastique». Son patron aura jugé
qu'un cours de «Politesse 101» ne fait jamais de tort
quand on occupe une fonction comme la sienne.
Finalement, l'évêque impose à Hingan une amende de
trois livres, somme qu'il doit remettre aux plus pauvres
de la paroisse des Grondines.

LES VOYOUS DU DIMANCHE

Que ce soit à Lachine, à Saint-Jean-Port-Joli, à Cap-
Santé ou dans d'autres villages, des individus dissolus
s'amusent à faire les fanfarons le dimanche, à l'église,
ou alors ne respectent pas ce jour saint en d'autres
lieux.

Le 22 décembre 1697, Mgr de Saint-Vallier sonne la
fin de la récréation en publiant le *Mandement pour
réprimer certains abus qui s'étaient introduits dans le
diocèse*. Il y mentionne que, depuis son retour d'un
séjour en France, on l'a informé «des abus qui
s'étaient glissés dans notre diocèse tant à la ville qu'à
la campagne» et il annonce «devoir y remédier, par
cette ordonnance, en mettant devant les yeux des uns

et des autres la manière dont ils doivent se conduire à l'égard de ceux qui manquent en des points si importants de la discipline ecclésiastique». Au cours du XVIIIe siècle, les évêques publieront plusieurs autres mandements sur l'indiscipline de nombreux paroissiens, des interventions appuyées par les autorités civiles.

La messe dominicale

Selon l'évêque, trop de personnes ne se rendent pas à leur église paroissiale pour assister à la messe, le dimanche :

> Le premier [abus] regarde l'obligation qu'ont tous les fidèles d'assister aux messes de paroisse les dimanches et les fêtes et y entendre les instructions qui s'y font [...]. Nous avons appris avec douleur qu'un grand nombre de paroissiens des villes et de la campagne négligent de satisfaire à un devoir si important, et nous en avons été nous-même le témoin plusieurs fois, ce qui nous engage à presser les prédicateurs de notre diocèse de porter les fidèles à y être assidus ; nous imposons encore une plus étroite obligation aux confesseurs d'interroger les pénitents sur cette matière pour faire remarquer à ceux qui n'ont point d'excuses légitimes de s'absenter de leur paroisse, qu'ils s'exposent à encourir les censures que les saints canons de l'Église ont faites contre

ceux qui par cette négligence font connaître
le mépris qu'ils font de leur pasteur.

Le 20 décembre 1697, ce sont les habitants de la
paroisse de Charlesbourg qui se font sermonner par
Mgr de Saint-Vallier. Il leur fait part de ceci : « Le
premier abus que nous souhaitons que vous corrigiez
est la facilité de profaner les saints jours des dimanches
et de fêtes par des travaux, voyages, affaires, ventes et
achats [faire du commerce]. »

Le 25 mai 1709, l'intendant Jacques Raudot est
furieux contre les habitants de Saint-Joseph-de-la-
Pointe-Lévis. Le curé Philippe Boucher vient de le
prévenir « qu'il y a un abus qui se commet dans sa
paroisse continuellement auquel il ne peut pas
remédier ». Quel est cet abus ? Le dimanche et les jours
de fêtes religieuses, les agriculteurs, « sans nécessité et
sans prendre la permission », écrit l'intendant, exé-
cutent des travaux. Toujours selon Raudot, les
habitants « contreviennent impunément aux com-
mandements de Dieu qui défend expressément ces
jours-là les œuvres serviles ».

Pour venir en aide à ce curé et aux autres de la
colonie, Raudot précise que cette ordonnance défend
« à tous les habitants de la paroisse de Saint-Joseph,
comme aussi à tous ceux des paroisses en ce pays, de
faire travailler leurs harnais les dimanches et les fêtes,
sans en avoir la permission de leur curé ». En cas de
désobéissance, l'intendant autorise même les officiers
de la milice à saisir tout équipement aratoire, qui

deviendra alors propriété de la fabrique de la paroisse.

Le 12 septembre 1718, dans une lettre envoyée au prêtre missionnaire de la paroisse de Saint-Nicolas, Mgr de Saint-Vallier confirme vouloir régler le cas de trois délinquants notoires qui persistent à vouloir besogner le dimanche : Laurent Saint-Laurent, Denis Desrosiers et Nicolas Lafrance. L'évêque déplore que, « malgré tous les avis que vous leur avez donnés de notre part de cesser un tel scandale public, ils ne laissent pas de se retirer dans leur désobéissance et dans leur infraction ». Il demande au pasteur paroissial, à compter de ce jour, de dénoncer publiquement ces individus, dans le sermon des trois prochains dimanches, « par la lecture que vous ferez de cette présente ordonnance ». Dans la conclusion de sa lettre, l'évêque déclare que, si ces personnes s'entêtent à demeurer en état de péché, « nous les regarderons comme séparés de la communion des fidèles, de la participation aux sacrements et de la sépulture ecclésiastique ».

Sortir durant le sermon

Mgr de Saint-Vallier est outré de constater « l'abus intolérable où l'on est dans plusieurs paroisses de sortir du prône qui se fait durant la messe de paroisse ». Par exemple, Jean Gauthier de Brullon, le curé de Château-Richer, un village de la Côte de Beaupré, en a ras le bol de quelques paroissiens qui, durant son sermon, « sortent de l'église et s'amusent à fumer à la porte et autour de l'église » ; de plus, « au lieu de se mettre dans les lieux avancés [à l'avant] de ladite église, ils se tiennent dans ceux qui sont les plus proches de la porte [à l'arrière], ce qui cause un embarras pour ceux qui y veulent entrer ». Encore une fois, l'intendant Raudot vient à la rescousse de ce curé en publiant, le 12 novembre 1706, une ordonnance à l'intention des paroissiens de Château-Richer :

> Faisons défense aussi à toutes sortes de personnes de se quereller et même de s'entretenir dans les églises [discuter avec des gens], d'en sortir lorsqu'on fera le prône et de fumer à la porte et autour desdites églises [...]. Exhortons tous les paroissiens d'assister au service divin avec toute la dévotion qu'ils doivent au lieu où ils sont et de se mettre dans les places convenables afin que tout le monde puisse y entrer librement.

Le 7 juillet 1710, c'est au tour des paroissiens de Lachine de se faire rappeler à l'ordre par Raudot, qui précise devoir publier une ordonnance car il a « appris avec regret que plusieurs jeunes gens de la paroisse de Lachine causent un grand scandale lorsqu'ils sont à l'église ». Il reproche à des jeunes de « sortir du prône pour aller causer dans des maisons particulières » dans le but de « badiner et faire plusieurs autres immodesties pendant le service divin ». En plus d'interdire ce comportement, Raudot tient « les pères et mères responsables pour leurs enfants », ajoutant que toute récidive pourra être punie par un petit séjour en prison.

Les paroissiens de Lachine n'étaient pas les seuls à agir de la sorte, car Mgr de Saint-Vallier, dans une lettre datée du 20 décembre 1697, avait déclaré ceci aux bonnes âmes de Charlesbourg : « Le second abus que vous devez absolument corriger est le mépris de la parole de Dieu que font ceux qui prennent la liberté de sortir de l'église pendant le prône, la prédication et le catéchisme, pour aller fumer et causer dans les maisons voisines. »

Maudite boisson !

Toujours en 1706, le curé de Château-Richer dénonce auprès de Raudot « deux de ses habitants, qui étant pris de boisson, profanèrent ce saint lieu en se querellant et menaçant tout haut [à voix haute] ».

Attentif à la requête du curé, l'intendant impose ceci :

> Et nous, étant persuadé que tous ces désordres ne viennent que de la liberté qu'on se donne de vendre des boissons les jours de fêtes et de dimanche, dont on abuse même avant d'aller au service divin, n'y ayant personne aussi hardie qui, de sang-froid, put causer pareils scandales.
>
> Nous défendons à toutes sortes de personnes, sous quelque prétexte que ce soit, de donner à boire dans leurs maisons aucunes boissons, ni même d'en vendre les jours de

fête et de dimanche, hors ceux [à l'exception de ceux] qui en viendront demander pour les malades.

Le 13 janvier 1780, ce sera autour de Mgr Briand de dénoncer deux frères de la paroisse de Sainte-Croix qui, complètement ivres, se sont carrément battus dans l'église.

On tabasse le bedeau

En 1722, le curé Morin, de la paroisse de Cap-Santé, est au bord de l'hystérie et se plaint à l'intendant Michel Bégon. Le pauvre curé n'en peut plus car «le service divin est interrompu dans son église par le grand nombre de chiens qui suivent les habitants qui y assistent»! Bon nombre de paroissiens se plaignent de cette affaire, mais, surtout, des individus menacent de rosser le bedeau quand il tente de faire sortir les chiens de l'église.

Pour mettre fin à ce désordre, l'intendant prévient que ceux qui s'en prendront physiquement au bedeau devront payer une très forte amende.

Batailles dans les presbytères

À la lecture d'une ordonnance rédigée le 11 février 1723 par l'intendant Michel Bégon, on conclut qu'il serait périlleux de mettre les pieds dans un presbytère avant ou après la messe du dimanche:

Sur des plaintes qui nous ont été faites que dans les côtes [les villages le long du Saint-Laurent] quelques habitants et nombreux de ceux qui s'assemblent au presbytère, avant ou après le service divin, s'y querellent, s'y battent et disent des paroles indécentes ou injurieuses, ce qui est contre le respect qu'ils doivent à leur curé.

Nous faisons défense à tous ceux qui s'y assemblent de s'y quereller, de s'y battre ou d'y proférer des paroles indécentes ou injurieuses, à peine contre chacun des contrevenants de dix livres d'amende applicable à la fabrique de l'église paroissiale.

ELLES COUCHENT AVEC L'ENNEMI

Peu après la conquête de la Nouvelle-France par les Anglais, en 1759, le comportement de quelques femmes a certainement dû choquer, voire horrifier, la population de leur village respectif. Ayant d'abord eu des relations très intimement sensuelles et sexuelles avec des anglophones, hors mariage de surcroît, ces femmes ont ensuite donné naissance à un enfant. Imaginez la situation : une femme francophone catholique qui partage son intimité avec un anglophone protestant qui est, en plus, le conquérant envahisseur! Les gens dans l'entourage de ces femmes n'ont certainement pas dû se montrer tendres envers elles, dans leur attitude et dans leurs propos. Voyons quelques cas.

Durant l'été de 1764, à Saint-François, sur l'île d'Orléans, Hélène Campagnac accouche d'un garçon, prénommé Joseph, qui décédera le 2 août 1765. Dans le registre de la paroisse, le curé a bien pris soin de noter, dans la marge de l'acte d'inhumation, le mot *illégitime*. « Le 3 août mil sept cent soixante-cinq, a été inhumé Joseph, fils naturel d'un officier anglais dont on ignore le nom présentement et Hélène Campagnac. Décédé hier, âgé d'environ treize mois. Étaient présents Jean Labbé et Augustin Marceau. »

Le 31 août 1763, un prêtre du Séminaire de Québec, l'abbé Gravé, baptise un enfant prénommé Jean. Dans le registre de la paroisse Notre-Dame de Québec, en plus d'indiquer que cet enfant est illégitime, l'acte de baptême fournit les détails suivants : « L'enfant ci-dessus nommé Jean est le fils de John Enfile, ci-devant officier dans les troupes anglaises, et Marie-Anne Poulin, selon le rapport que m'en ont fait le parrain et la marraine. »

Le 4 juillet 1763, on baptise le fils d'une femme nommée Chabert qui a eu une liaison avec le baron Herbert Munster, commandant à Boucherville. À Batiscan, le 9 décembre 1761, c'est le baptême de Marie-Rosalie, fille de Madeleine Chatellereau et de Robert Fraser, lieutenant du 48ᵉ régiment ; le 30 juillet 1781, Marie-Rosalie épousera Jean-Baptiste Lepellé. À Lorette, le 21 septembre 1761, le père Girault baptise l'enfant de Marie-Anna Sylvestre, conçu avec Joanne Well Subcenturione.

L'escapade nocturne d'une ursuline

Le 18 juillet 1770, la supérieure des ursulines de Québec, la Révérende Mère de l'Enfant Jésus, se fait royalement apostropher par son évêque, Mgr Jean-Olivier Briand, qui lui fait part de ses remontrances dans une lettre rédigée sans aucune des formules de politesse habituelles dans l'introduction. L'heure semble grave : une religieuse a profité de la nuit pour sortir du couvent !

Mgr Briand plonge tout de go dans le vif du sujet en ces termes : « Il est étonnant, ma Révérende Mère, qu'on puisse sortir de chez vous à 4 heures du matin » ! Le prélat lui rappelle aussi qu'il a « souvent crié que la grande porte [de la cour du couvent] était ouverte tout le long du jour ». Il ne manque pas non plus de faire appel à sa mémoire au sujet d'un conseil qu'il lui a déjà formulé sur l'importance de toujours tenir fermées les portes de son couvent et il lui recommande de suivre l'exemple des ursulines de Saint-Breux, en France : « Je vous ai rapporté à cette occasion ce que j'avais vu aux Ursulines de Saint-Breux étant écolier, que j'avais vu le bas des robes de deux religieuses qui venaient ouvrir la porte et la fermaient aussitôt, et à chaque fois que les voitures entraient et sortaient. » Et il ajoute qu'il « faudrait ici, pour faire obéir, l'ordonner comme en France, sous peine d'excommunication ». Le pasteur commente ainsi l'importance de la discipline quotidienne à observer dans le contrôle de la porte du couvent : « J'ai dit souvent que quand un malheur semblable à celui d'aujourd'hui ne devrait arriver que tous les cinquante ans, ce ne serait pas trop faire, pour empêcher un tel crime et un pareil scandale, de s'assujettir tous les jours de la vie. »

Malgré sa rage évidente, l'évêque se montre cependant clément envers les personnes responsables des entrées et des sorties dans le couvent : « J'aurais lieu et juste sujet de mettre en pénitence toutes celles qui sont chargées de cet office qui y doivent veiller [...]. Je ne le fais pourtant pas, mais, exige-t-il, qu'on soit plus exact » au sujet de cette discipline.

Concernant la religieuse qui a osé quitter son couvent durant la nuit, l'évêque ordonne ceci à la supérieure :

> Vous pouvez la recevoir, mais comme elle a encouru l'excommunication majeure, elle ne peut assister à aucun office, ni parler à personne qu'à vous et à celle qui sera chargée de lui porter à manger, jusqu'à ce que la censure [l'excommunication] n'ait été levée. Elle ne peut point assister à la messe.

> Le père De Glapion vous expliquera plus au long les effets de cette censure. On pourra la faire rentrer sur les neuf heures du soir, la recevant accompagnée de la zélatrice et de la portière. Le père De Glapion pourra entrer la conduire dans sa chambre et, là, il lui expliquera son état.

Dans une communauté, la zélatrice était la responsable des novices. Quant au prêtre mentionné par l'évêque, il s'agit du jésuite Augustin-Louis de Glapion. Né le 8 juillet 1719, à Mortagne, en France, il arrive à Québec en 1758. En plus d'être le supérieur des jésuites de Québec, il est le confesseur attitré à l'Hôpital général. Il décède à Québec le 24 février 1790.

On me permettra ici une digression très instructive sur le couvent des ursulines de Québec. Après l'avoir visité, le voyageur et scientifique suédois Pehr Kalm note, le 17 août 1749, ces détails dans son journal :

> Couvent des ursulines. Je le visite aujourd'hui. Celui des ursulines est situé en ville et possède une église splendide. Je visite à peu près toutes les pièces, suivi d'une foule de religieuses, dont la plupart sont âgées [...]. Aucune personne de sexe masculin n'a la possibilité de pénétrer à l'intérieur du couvent sans une permission spéciale de l'évêque, et l'on considère cela comme une faveur extrêmement grande, faveur qui m'est accordée aujourd'hui [...]. Je visite l'église où prient les religieuses et, en ce moment, plusieurs d'entre elles s'y trouvent, agenouillées un peu dans tous les coins et en train de prier Dieu chacune en privée [...]. En plusieurs endroits de l'église, les murs sont couverts d'images et de peintures, et des cierges brûlent également devant

quelques-unes d'entre elles [...]. Je visite ensuite la cuisine, le réfectoire, la salle où elles travaillent ensemble durant la journée, qui est grande et belle. C'est là qu'elles confectionnent tous les ouvrages fins, qu'elles recouvrent les images d'or, etc. En outre, nous visitons les chambres où elles dorment : elles sont très petites et les religieuses n'ont pas grand place pour s'y remuer. Chaque religieuse a une chambre particulière, dont les murs sont absolument nus et sans peinture ; il s'y trouve un petit lit, une table à tiroirs, un crucifix et d'autres images au-dessus du lit. Leurs chambres ne contiennent rien d'autre. Pas de poêle. J'ai oublié de dire, en parlant du réfectoire, qu'il est tout semblable à ceux des autres couvents : longues tables sur les côtés, sièges ou chaises seulement entre la table et le mur ; une chaire, sur l'un des côtés, où monte une des religieuses pour lire quelque ouvrage de spiritualité pendant et aussi à la fin du repas. Sous la table se trouve un petit tiroir où chaque religieuse range sa serviette, son couteau, sa fourchette et d'autres choses [...]. Après avoir visité ces pièces et plusieurs autres, nous prenons congé. Un beau jardin, entouré d'un mur élevé, est près du couvent et lui appartient ; il est rempli de toutes sortes de plantes potagères et d'arbres fruitiers.

LES *COURAILLEURS* DE MIRACLES

De tout temps, l'euphorie des miracles a été une puissante drogue pour certains individus. En 1792, on accourt de partout pour obtenir une guérison miraculeuse auprès d'une femme enceinte résidant à Saint-Jean-Port-Joli. Non seulement cette femme attire-t-elle des personnes de sa région, mais voici que des gens de la côte nord du Saint-Laurent, et beaucoup, en particulier, des Éboulements, traversent régulièrement le grand fleuve pour aller la rencontrer.

Informé de ce phénomène, Mgr Jean-François Hubert, l'évêque de Québec, fait parvenir une lettre au curé des Éboulements, l'abbé François-Raphaël Paquet, ainsi qu'au curé de Saint-Jean-Port-Joli, l'abbé Charles Faucher-Châteauvert, pour que cesse cette folie de la course aux miracles. Mais en vain, car l'attrait qu'exerce la femme enceinte « miraculeuse » persiste.

Parce que cette femme utilise sa réputation personnelle dans cette affaire, le prélat n'a plus le choix : il doit sortir la grosse artillerie. Le 9 juin 1793, il rédige le *Mandement aux habitants de Saint-Jean-Port-Joli et des paroisses circonvoisines pour arrêter la superstition*. Furieux, Mgr Hubert nie d'abord catégoriquement les allégations rocambolesques de cette femme à son sujet :

> On nous annonce qu'une femme de la paroisse de Saint-Jean a été assez malheureuse pour feindre que nous [l'évêque] avions

communiqué à son enfant une vertu que nous n'avons pas [...]. Voyez déjà que nous voulons parler de la vertu d'opérer des miracles. On vous fait accroire que nous l'avons communiquée, cette vertu, à un enfant dont cette femme était enceinte, en sorte qu'il soit réellement capable par son seul attouchement de guérir des plaies et des maladies, et que ce don doive lui appartenir jusqu'à l'âge de sept ans.

L'évêque met en garde la population contre cette «scandaleuse supercherie dont on use dans vos quartiers pour surprendre votre simplicité et vous arracher votre argent». La nature humaine étant ce qu'elle est, tout est monnayable en ce bas monde et certains individus auront toujours plus de talents que d'autres dans cet art vicieux de la fraude.

Mgr Hubert trouve d'un ridicule consommé qu'on fasse croire qu'un évêque puisse transmettre à un fœtus le pouvoir de faire des miracles et, dans son offensive, il attaque férocement l'attitude de toutes les parties impliquées dans cette affaire. D'une part, il se dit profondément affligé de voir «qu'il se soit trouvé une personne assez méchante et assez peu chrétienne pour fabriquer une pareille imposture». D'autre part, il n'épargne pas non plus les *assoiffés de miracles* en déplorant «qu'elle [la guérisseuse] ait eu assez de crédit parmi vous pour vous aveugler au point d'attirer chez elle un grand nombre de personnes ignorantes, persuadées qu'elle disait vrai».

En plus d'exiger que son texte soit lu au cours de la prochaine messe dominicale à Saint-Jean-Port-Joli, ainsi que dans les paroisses où résident des clients, Mgr Hubert fait connaître les mesures qu'il prend. Sous peine d'excommunication, il ordonne à cette femme de cesser de tromper la population en mettant fin immédiatement à sa supercherie et, surtout, il l'oblige à «restituer tout l'argent qu'elle a exigé pour les prétendus miracles de son enfant».

Il défend aux clients réguliers de retourner voir cette femme, mais il vise également les personnes qui s'y rendraient uniquement «par curiosité pour en être témoin». Finalement, tant que cette femme n'aura pas démontré du repentir par rapport à sa faute, elle ne pourra recevoir les sacrements de l'Église, sauf si elle se trouve en réel danger de mort.

Malheureusement, les archives ne font pas mention de l'identité de cette femme.

Le feu n'est pas encore éteint à Saint-Jean-Port-Joli qu'un autre est allumé dans un village de la région de Lotbinière.

Cette fois, c'est Mgr Joseph-Octave Plessis qui doit intervenir, le 17 mars 1808, en faisant parvenir une lettre à tous les curés des paroisses situées entre Trois-Rivières et Québec, dans laquelle il mentionne ceci: «Je ne sais si vos paroissiens sont du nombre de ceux qui vont consulter les imposteurs de Saint-Pierre-les-Becquets pour se faire guérir de leurs maladies. Quoi qu'il en soit, voici une ordonnance dont vous pouvez faire usage. »

Dans le *Mandement contre les pratiques supersti-tieuses*, l'évêque met les pendules à l'heure. En introduction, il dénonce les comportements naïfs de certaines personnes :

> Nous avons appris, Nos Très Chers Frères, que plusieurs d'entre vous, peu instruits des vrais principes de leur religion, espéraient trouver la guérison de leurs maladies corpo-relles dans certaines prières et impositions de mains faites sur eux par des particuliers sans aveu et sans mission, dont la conduite témé-raire n'est propre qu'à séduire et à égarer la multitude.

Tant que les coupables n'auront pas cessé leurs abus, le prélat défend donc aux prêtres de donner l'absolution aux « imposteurs qui prétendent guérir les maladies en récitant sur eux des prières ou faisant des impositions de mains », une directive qui vaut également pour les clients de ces gourous.

UN PAROISSIEN TENTE D'ÉTRANGLER SON CURÉ

Mgr Jean-Olivier Briand est ébranlé d'avoir appris qu'un paroissien de Sainte-Anne-de-Beaupré a sauté à la gorge de son curé, Jacques Derome dit Descarreaux, en voulant carrément l'étrangler. Le 13 février 1782, dans sa *Lettre aux habitants de Sainte-Anne-de-Beaupré*, il exprime ainsi sa vive et profonde indignation : « Mais aujourd'hui, nos très chers frères, ce n'est plus Jean-Olivier que l'on attaque, ce n'est plus M. Derome qui est simplement insulté, c'est tout l'ordre sacerdotal, c'est Jésus-Christ lui-même, c'est le pape, c'est l'Église elle-même. »

Sans nommer l'individu responsable de cette tentative de meurtre, et sans, malheureusement, donner des détails sur les raisons de l'attentat, l'évêque témoigne « combien M. Derome m'a consolé en disant que toute la paroisse était plongée dans le deuil et que quelqu'un même de cette famille [de l'auteur du geste] était dans la plus grande affliction et confusion de cette humiliante, criminelle et impie catastrophe ».

Mais, malgré l'attitude de clémence prônée par le curé envers son agresseur, l'évêque ne se laisse pas attendrir et déploie l'artillerie lourde : « C'est pourquoi, pour ne pas nous exposer à être repris de mollesse au jour du jugement par le grand Dieu et le redoutable juge dont nous sommes le ministre et le délégué, malgré notre indignité, nous déclarons excommunié et retranché de l'Église la personne qui a pris à la gorge le Sr Derome, curé de Sainte-Anne. »

À la suite de la décision de l'évêque, Pierre-René Hubert, le curé de la paroisse voisine, Château-Richer, a rencontré l'individu et il intercède auprès de Mgr Briand pour que le malfaiteur soit réadmis dans l'Église catholique. Dans sa lettre du 25 février 1782, le prélat donne sa réponse au curé Hubert :

> Puisque le Seigneur a manifesté sa grâce en étant entré dans le cœur de cet homme et y avait opéré, pourrait-il nous être permis de laisser plus longtemps ce pauvre malheureux sous l'empire tyrannique du démon, séparé de l'Église [...]. La tendresse de votre cœur parle trop haut et nous ne pouvons résister à sa voix. C'est pourquoi, notre très cher fils, nous vous donnons commission et pouvoir de l'absoudre le plus tôt possible un dimanche avant la messe.

Plus loin dans sa lettre, l'évêque précise au curé comment devra se dérouler la cérémonie :

> Il sera à la porte de l'église, à genoux, un cierge éteint à la main. Là, vous lui parlerez en peu de mots sur le malheur de son état, y réciterez le *Miserere* et le reste du rituel et, après l'absolution, on allumera son cierge, on le conduira à la balustrade, en chantant le *Te Deum*. Vous lui expliquerez là et au peuple comme il est rentré dans l'Église et dans les droits de son baptême qu'il avait perdus [...]. Ensuite vous le reconduirez au bas de l'église où il entendra la messe à genoux, toujours le cierge allumé à la main jusqu'après la bénédiction et lui imposerez pour pénitence de réciter tous les jours à

genoux le chapelet de la Vierge jusqu'au dimanche des Rameaux [...]. Pour le cierge, il paiera un écu à la fabrique.

En conclusion, Mgr Briand recommande cependant « qu'il est de la prudence de le faire venir au presbytère avant la cérémonie et de l'instruire de ce qu'il aura à faire », ainsi que de lire « cette lettre au peuple avant de commencer la messe afin qu'il soit persuadé que vous n'avez fait qu'exécuter nos ordres ». Et si l'individu refusait de se soumettre à cette cérémonie ? « Dans lequel cas, après avoir lu la présente lettre publiquement, vous ajouterez qu'il n'a pas voulu accepter la pénitence et que conséquemment vous le déclarerez excommunié pour la seconde fois », de préciser l'évêque.

ELLE RABROUE SOLIDEMENT SON MARI

Une chandelle bénite va causer tout un drame et une orageuse scène de ménage dans une chaumière, sous les yeux d'Isaac Weld, un voyageur étranger de passage chez nous et qui loge chez l'habitant pour une nuit.

Né le 15 mars 1774 à Dublin, Weld est un Irlandais faisant carrière dans le domaine des sciences. Il fut vice-président de la Royal Dublin Society et membre de la Royal Irish Academy. Il publia, entre autres, le journal de son voyage aux États-Unis et au Canada. Réédité à plusieurs reprises et traduit dans plusieurs langues, ce best-seller de l'époque s'intitule *Travels through the States of North America, and the provinces of Upper and Lower Canada during the years 1795, 1796 and 1797.*

Dans son journal, Weld raconte que la veille de son arrivée à Québec il s'est arrêté dans le village de Saint-Augustin, dans la région de Portneuf, pour y passer la nuit dans une famille. Pendant qu'il découvre à pied ce village, ses hôtes préparent un repas composé de poissons fraîchement pêchés.

Lorsqu'il retourne à la maison, le souper est prêt et on prend le repas à la lumière d'une lampe suspendue au plafond. Mais cette lumière étant de trop faible intensité, Weld demande si l'on peut régler ce problème. L'hôte décroche la lampe, la remplit d'huile et la pose sur la table. Weld n'étant apparemment pas très heureux du résultat, le maître de la maison lance cette phrase : « Sacre Dieu ! Vous ne mangerez pas votre poisson dans le noir ! » Il se lève aussitôt pour aller chercher une chandelle dans une armoire pour l'allumer et la placer sur la table. C'est à partir de cet instant que le drame éclate. Voici comment Weld décrit la scène :

> Tout allait bien lorsque l'épouse, qui s'était absentée quelques minutes, revint soudaine-ment et s'emporta contre son mari pour avoir agi comme il l'avait fait. Incapable de dire un mot, il resta consterné, ignorant de ce qui l'avait offensée. Nous non plus n'avions la moindre idée de la raison d'une

colère si subite. La femme s'empara de la chandelle, s'empressa de l'éteindre et s'adressa à nous sur un ton plaintif en expliquant toute l'affaire. C'était la « chandelle bénite » que son mari avait posée sur la table. Elle avait été bénite à l'église du village. Et qu'un orage se produise à n'importe quel moment, avec du tonnerre et des éclairs, il suffirait de garder la chandelle allumée pour protéger des dangers la maison et les bâtiments. Et si quelqu'un tombait malade, on devrait allumer cette chandelle pour une guérison immédiate. Cette chandelle lui avait été donnée le matin même par le curé du village, avec l'assurance qu'elle avait le pouvoir de protéger la famille du malheur ; et elle avait foi dans ces propos. Il aurait été inutile de contredire cette pauvre dame ; pour le repos de nos oreilles, nous l'avons réconfortée. Cela fait, nous avons pu continuer notre repas en mangeant notre poisson dans l'obscurité.

Les Montréalais dépravés

Deux touristes anglophones, Edward Allen Talbot et John Lambert, sont indignés et n'ont pas une très haute opinion du degré de moralité des citoyens de la ville de Montréal. Ces deux voyageurs étrangers, qui ont visité le Bas-Canada (le Québec), sont du même avis : les Montréalais ne mettent pas en pratique les beaux principes de leur religion catholique quand ils déblatèrent sans cesse les uns contre les autres. De surcroît, les deux hommes constatent que les infidélités conjugales semblent beaucoup plus fréquentes ici qu'en Europe, particulièrement parmi la classe sociale des gens riches.

Dans son livre publié en 1825, *Cinq années de séjour au Canada*, Talbot partage l'opinion de Lambert sur les défauts des Montréalais et il cite un extrait du récit de voyage de Lambert, publié quelques années auparavant et qui s'intitule *Travels through Lower Canada… in the years 1806, 1807 and 1808* :

> Quand j'ai visité le Canada, la société y était divisée en plusieurs partis. Le scandale était à l'ordre du jour : la calomnie, la médisance, l'envie semblaient avoir arboré leur drapeau au milieu des habitants […]. En un mot, la société des villes du Canada ressemble à celle de la plupart des petites villes : la jalousie, la vanité, l'esprit de parti y règnent avec d'autant plus d'empire que chacun s'y connaît mieux, et que l'origine et l'histoire secrète de chaque famille offrent plus de matière aux piquantes plaisanteries.

> Le nombre de femmes galantes, ajoute M. Lambert, est plus considérable dans les villes du Canada que dans l'ancien continent, relativement à leur population : les fréquentes infidélités des hommes et des

femmes, les rapports scandaleux donnent lieu à de mutuelles récriminations, engendrent l'animosité et détruisent l'harmonie dans les sociétés des premières classes [classe aisée].

Né vers 1796 en Irlande, Edward Allen Talbot a exercé différents métiers, dont ceux d'inventeur, de professeur et de journaliste. Le 11 mai 1821, il épouse Phoebe Smith, à l'église anglicane Christ Church de Montréal ; le couple aura huit enfants. Talbot mourra dans l'État de New York le 6 janvier 1839.

Né vers 1775 en Angleterre, John Lambert était un auteur et un aquarelliste. Il a non seulement visité le Canada, entre 1806 et 1809, mais a aussi parcouru plusieurs États américains. « Il accompagnait son oncle, James Campbell, envoyé par le comité de commerce du Conseil privé de Londres pour promouvoir la culture du chanvre dans la colonie », relate la biographe Jacqueline Roy.

ON FAIT PARLER LES MORTS

En ce 25 décembre 1854, Mgr Pierre-Flavien Turgeon prend le temps de rédiger une missive aux curés pour leur demander de condamner publiquement les paroissiens adhérant à un phénomène de plus en plus à la mode et qui consiste à se regrouper autour d'une table pour communiquer avec les morts. Estomaqué et blanc de colère, l'évêque laisse ainsi exploser son courroux : « À quel temps sommes-nous arrivés ! Serions-nous condamnés à voir toutes les folies et toutes les abominations du paganisme se renouveler au milieu des nations chrétiennes ! »

Le spiritisme

Le mouvement dont parle ce cher évêque est le spiritisme, qui est né aux États-Unis au milieu du XIXᵉ siècle et s'est répandu sur la planète comme une traînée de poudre. L'une des pratiques de ce mouvement consiste à essayer d'entrer en communication avec les morts en frappant sur une table.

Dans *La magie contemporaine*, un livre publié en 1912, l'historien Th. De Cauzons mentionne qu'en décembre 1847 une famille allemande vient s'établir à Hydesville, dans l'État de New York. Jean Fox, alias Voss, son épouse et ses trois filles emménagent dans la maison abandonnée par un dénommé Weekman, « fatigué d'entendre frapper à sa porte sans voir jamais qui heurtait ».

Après le mariage de la fille aînée, voici qu'on se met à entendre des bruits étranges dans la maison : des coups frappés dans les murs, sur les planchers. De plus, des meubles sont parfois déplacés ou renversés comme par magie. Un jour, la jeune Catherine Fox, âgée de douze ans, fait craquer ses doigts et, oh ! surprise, « un bruit de même nature fut entendu un nombre égal de fois ». L'enfant alerte sa mère, qui refait l'expérience. Elle demande à l'entité invisible de compter jusqu'à dix et, aussitôt, la mère et la fille entendent dix coups. En présence de voisins, la famille Fox tente ensuite l'expérience de poser des questions aux entités invisibles, en précisant le nombre de coups à frapper dans la réponse. On employait une formule comme celle-ci, par exemple : « Si tu es un esprit, frappe deux coups. »

Après avoir déménagé dans la ville de Rochester, la famille Fox commence à offrir des séances de spiritisme non seulement à des gens ordinaires, mais aussi à des personnalités très influentes des États-Unis. « Les dames Fox se découvrirent la mission de répandre la religion nouvelle », commente De Cauzons, et « les principales villes du continent américain ne tardèrent pas à être toutes munies de cercles spirites, où des médiums, les prêtres du nouveau culte, se chargeaient de la conversation avec les esprits ».

En 1852, on dénombre trois cents cercles spirites à Philadelphie et, dès 1853, on compte plus de trente mille médiums aux États-Unis. La population européenne adhère rapidement à ce mouvement. De Cauzons rapporte qu'en France « le spiritisme fut annoncé par une brochure d'un dénommé Guillard : *Table qui danse et table qui répond* » ; en 1853, des séances de spiritisme ont lieu à Paris, à Bourges et à Strasbourg.

De Cauzons décrit comment se déroule une séance de *table tournante* :

On se met à trois, quatre ou davantage, autour d'une table, généralement ronde, et montée sur un pied comme un guéridon, mais ces conditions ne sont pas indispensables, car, avec un médium passable, les tables ordinaires à quatre ou à six pieds, de cuisine ou de salle à manger, réussissent également. Les mains des assistants étendues sur la table se touchent par l'extrémité des petits doigts et forment ainsi une chaîne qui peut être interrompue, si l'on n'est pas assez nombreux pour faire le tour de la table. Au bout d'un temps plus ou moins long, variant de quelques minutes à plusieurs heures, pour les premières séances, et diminuant ensuite, la table commence à craquer, elle se soulève sur un pied et se met à tourner, ou plutôt à glisser sur le parquet, en tournant plus ou moins sur elle-même, pendant que les assistants la suivent dans sa course et maintiennent, tant bien que mal, la chaîne entre eux, le contact avec la table.

La riposte de l'évêque

Dans la *Lettre pastorale concernant les tables tournantes*, Mgr Turgeon réagit de façon virulente au sujet de ce mouvement populaire. En introduction, il insiste devoir intervenir «pour vous mettre en garde contre un nouveau moyen de séduction, que l'esprit des ténèbres [le diable] veut introduire parmi nous, pour égarer les âmes faibles et les faire tomber dans le péché. Nous voulons parler de l'abus criminel que l'on fait des *tables tournantes*».

Dans un long exposé théologique et philosophique, Mgr Turgeon convient que le phénomène des tables qui bougent «est sans doute un phénomène bien étrange» que la science ne peut encore expliquer. Cependant, du point de vue théologique, l'évêque conclut que participer à une séance de table tournante, c'est vouloir entrer en communication avec Satan: «Selon tous les docteurs de l'Église, elle consiste à avoir recours au démon pour découvrir des choses cachées.» En conséquence, le prélat déclare officiellement ceci:

> Nous défendons, comme une pratique superstitieuse, de faire tourner ou frapper les tables, ou d'autres objets, dans l'intention d'évoquer les morts ou les esprits, de les consulter ou d'avoir quelque communication avec eux.

> Nous recommandons à tous de s'abstenir totalement, à l'avenir, de l'expérience des tables tournantes, faite même uniquement par jeu et par amusement, comme n'étant pas sans danger pour les faibles qui pourraient être induits, par là, dans la superstition.

Adressée aux curés, une lettre datée du 15 janvier 1855 nous dévoile la stratégie de Mgr Turgeon pour enrayer ce mouvement chez les adeptes, tout en n'en faisant pas la promotion auprès de ceux qui ne le connaissent pas :

> Je vous transmets une Lettre pastorale que j'adresse aux fidèles du diocèse, au sujet des *tables tournantes* qui font tant de bruit en Canada depuis quelque temps. Vous vous abstiendrez de lire en chaire si le mal que j'y signale n'est pas connu de votre peuple, car dans ce cas, il convient de lui laisser ignorer. Mais, s'il est connu, vous ne vous contenterez pas seulement de lire ma Pastorale, mais vous emploierez encore tous les efforts de votre zèle sacerdotal pour éloigner de ces pratiques dangereuses ceux de vos paroissiens qui seraient assez imprudents que de s'y livrer.

DES MŒURS ÉLECTORALES DOUTEUSES

À quelques reprises au cours du XIXe siècle, les évêques doivent intervenir en raison de graves accrocs à la moralité dont se rendent coupables plusieurs de nos ancêtres lors des campagnes électorales. En général, les dénonciations concernent les fautes suivantes : le parjure, l'abus d'alcool, la vente et l'achat de votes, la diffamation et la violence. Nature humaine oblige !

Mais avant d'aborder les méfaits électoraux, rappelons quelques détails sur les débuts de notre système parlementaire. C'est au printemps de 1792 qu'ont lieu les toutes premières élections au Québec, visant à élire des députés pour représenter la population à la Chambre d'assemblée.

Dans chaque circonscription électorale, on ne trouve qu'un seul bureau de scrutin, appelé *poll* (mot emprunté à l'anglais). Pour compter parmi les électeurs, il faut être âgé de vingt et un ans et être propriétaire d'un bien immeuble, en milieu urbain ou en milieu rural. Notons qu'à ces premières élections de 1792 les femmes ont le droit de voter ; ce droit leur sera toutefois enlevé dans la loi électorale de 1849.

C'est un officier-rapporteur qui, dans chaque circonscription, supervise la tenue d'une élection. Les historiens Jean et Marcel Hamelin décrivent ainsi le déroulement d'une élection :

> L'élection se fait en public, «au vote ouvert». Au jour fixé, l'officier-rapporteur s'amène au lieu du *poll*, près d'une église. Le *poll* peut être soit un *husting*, érigé à la hâte, soit une maison des environs. Un amendement de 1803 spécifie que les candidats doivent défrayer eux-mêmes le coût d'érection des *hustings*. L'officier-rapporteur demande alors aux électeurs présents de désigner les candidats. S'il n'y en a qu'un seul qui brigue les suffrages, l'officier-rapporteur déclare l'élection terminée.

Au contraire, s'il y a contestation, il compte, à vue, les personnes en faveur de chacun des adversaires [...]. En cas de doute, l'officier-rapporteur ouvre son registre dans lequel il inscrira le nom de l'électeur, sa profession, son adresse et le candidat de son choix. Et le défilé commence... Le scrutin a lieu de huit à six heures. S'il s'écoule plus d'une heure sans qu'un électeur ne se présente, l'officier-rapporteur, à la demande de trois électeurs, peut fermer le *poll* et déclarer l'élection terminée.

Soulignons que la méthode du vote à main levée, qui a engendré de très nombreux abus, sera finalement remplacée par celle du vote secret au moment de l'adoption de la loi électorale de 1875. L'Angleterre avait opté pour ce principe en 1873, et le gouvernement fédéral canadien, en 1874.

La sonnette d'alarme

Au XIXᵉ siècle, lorsqu'une campagne électorale s'annonce, l'évêque rédige un mandement spécial dont les curés devront faire la lecture à leurs paroissiens dès la divulgation de la date des élections, et « une seconde fois le dimanche qui précédera immédiatement la votation », exige Mᵍʳ Elzéar-Alexandre Taschereau, le 28 mai 1876. « Notre charge pastorale nous engage à vous rappeler en peu de mots vos obligations de conscience en cette circonstance solennelle et si importante pour vous et pour le pays tout entier», de souligner l'évêque. On le verra bien, le chef spirituel avait grandement raison de donner les précisions qui s'imposaient en de telles circonstances.

Rappelant que Dieu jugera un jour tant les candidats que les électeurs, l'évêque fait quelques recommandations en espérant empêcher des comportements dégoûtants trop souvent observés pendant les campagnes électorales. Parions cependant qu'au tribunal céleste, encore aujourd'hui, plus de cent ans plus tard, les procès de plusieurs pépés et mémés d'autrefois ne sont pas encore terminés, tellement on a joué en bas de la ceinture en moult occasions.

Premièrement, il mentionne que les mensonges demeurent une faute morale très grave et il défend qu'on fabrique de basses calomnies sur qui que ce soit. «Vous n'aimez pas qu'on dise des calomnies contre vous; ne calomniez pas votre prochain», d'insister l'évêque.

Deuxièmement, Mgr Taschereau exhorte le peuple à ne pas recourir à la violence et aux menaces: «Ceux qui ont recours à ces moyens pour faire triompher leur candidat seront tôt ou tard punis de la même manière, car la justice de Dieu rend à chacun ce qui lui est dû.»

En troisième lieu, l'évêque condamne la consommation abusive d'alcool durant les élections. Non seulement ne sait-on pas ce que l'on fait quand on est ivre, mais, souligne le prélat, l'alcool entraîne «des parjures, des violences et quelques fois même des batailles sanglantes».

Enfin, Mgr Taschereau est indigné de constater que des électeurs acceptent facilement qu'on achète leur vote : « Celui qui vend sa voix se déshonore lui-même ; il se dégrade et s'avilit, car il devient l'esclave de celui qui l'achète. » Il exprime la même indignation à l'égard de ceux qui acceptent de l'argent pour ne pas aller voter, car « c'est un moyen de favoriser indirectement un candidat en qui l'on n'a pas confiance ».

La nature humaine en action

Après cette énumération de quelques consignes morales formulées par l'autorité religieuse, voyons pourquoi on avait raison d'alerter les consciences.

Les historiens Jean et Marcel Hamelin ont publié une recherche très instructive sur le sujet : *Les mœurs électorales dans le Québec de 1791 à nos jours*. Même s'ils précisent qu'en général les élections se déroulaient bien, les auteurs signalent toutefois des dérapages occasionnels monstrueux, causés par des lacunes législatives évidentes, des vides juridiques qui ont heureusement été corrigés avec le temps.

À l'époque, les médias faisaient eux aussi des recommandations à la population. En 1792, dans une édition de *La Gazette de Québec*, on décrit le portrait moral du candidat idéal pour qui les électeurs devraient voter :

> La première considération des électeurs doit être de choisir des gens de bonnes mœurs,

d'intégrité et de confiance... La première qualité d'un représentant est d'avoir une aussi grande considération pour vous, pour vos familles, votre liberté et vos biens en faisant les lois qu'il vous en fait paraître quand il sollicite vos suffrages... Une seconde qualité requise est que les hommes que vous choisirez soient des gens d'un génie vaste et éclairé, laborieux, assidus et actifs, bien instruits des véritables intérêts de la province... Une troisième qualité nécessaire dans vos représentants est d'être des hommes de principes exempts de préjugés, résolus de faire des lois salutaires pour vous.

Cabaleurs, alcool et intimidation

Dès les élections de 1792, les partisans et les clans des candidats utilisent des moyens douteux pour attaquer la réputation des adversaires, et parfois les couteaux volent vraiment bas. C'est pour cette raison que, dans le comté de Warwick, le candidat James Cuthbert offre cent piastres de récompense à qui mettra la main au collet de l'individu qui a osé distribuer de nombreuses lettres anonymes portant atteinte à sa réputation, « des imprimés anonymes, faux, absurdes et insidieux », déclare-t-il. Né en Écosse vers 1719, Cuthbert, qui a été officier, marchand et juge de paix, a acheté la seigneurie de Berthier le 7 mars 1765. Candidat aux élections de 1792, il a été défait par Pierre-Paul Margane de Lavaltrie. Il est décédé à Berthier en septembre 1798.

Les *cabaleurs* sont des personnages redoutés et redoutables qui apparaissent dans le décor dès les premières élections de notre histoire. « Les *cabaleurs* ne se présentent jamais sans leur carte de visite : une bouteille de rhum ou de porter », relatent les Hamelin dans leur recherche, et ils ajoutent que « la boisson s'avère le boniment le plus efficace pour préparer les esprits à la discussion des grands problèmes politiques ». L'erreur est sûrement humaine, mais parfois certains humains sont des erreurs.

Et dès le début, les cabaleurs n'auront pas très bonne réputation. En 1808, le journal *Le Canadien* dénonce leur comportement, qui est « d'employer des agents imposteurs, ou d'aller personnellement de porte en porte, pour s'assurer de vos suffrages ou enflammer vos esprits, en faveur d'un candidat, par des insinuations injurieuses au préjudice de l'autre ».

Lorsqu'on doit voter à main levée, donc dévoiler publiquement son choix, il est facile d'imaginer que des partisans peu scrupuleux ne se gêneront pas pour profiter de la situation en menaçant des électeurs. En 1863, *Le Courrier de Saint-Hyacinthe* dénonce le chantage éhonté de plusieurs marchands :

> Depuis une couple d'années, les cultivateurs entre autres se sont trouvés dans une gêne réelle, ils ont été obligés de s'endetter, soit chez le marchand ou ailleurs. Aujourd'hui, il n'est pas rare de voir tel ou tel marchand, tel ou tel créancier se mettre en campagne pour

aller sommer leurs débiteurs de voter pour leur candidat sinon ils devront leur payer immédiatement ce qu'ils leur doivent ou bien on leur fera des frais.

Les lacunes du système électoral de l'époque ont créé une race d'*Homo sapiens* appelée *bullies*. Cette armée de fiers-à-bras a la mission de prendre le contrôle des *polls*. Ces escadrons de la terreur sont apparus à partir de 1837, selon les Hamelin, et leur existence « se fonde sur la loi électorale qui permet à tout électeur de demander la clôture du *poll* si, lors du scrutin, il s'écoule une heure sans que personne ne vienne voter ». Une stratégie très utilisée consiste à faire voter très tôt le matin un groupe de partisans, pour créer une majorité de voix en faveur d'un candidat. La majorité étant constatée, les *bullies* entrent en action pour empêcher durant une heure les électeurs d'un candidat adverse de s'approcher du *poll*. Il suffit ensuite de demander à l'officier-rapporteur de fermer le bureau de scrutin, une heure s'étant écoulée, et de désigner ainsi le candidat élu.

Publié dans le journal *La Minerve*, le 13 janvier 1858, un reportage sur une élection à Trois-Rivières nous fait explicitement comprendre pourquoi les autorités religieuses intervenaient auprès de la population pour éviter des spectacles peu édifiants :

Dès avant l'ouverture des *polls*, une bande d'Irlandais de la pire espèce ayant chacun un gros bâton dans une main et une arme à feu dans l'autre ou dans la poche de leur habit, venus exprès de Québec par le chemin de fer du Grand Tronc, paradaient dans Trois-Rivières, et se plaçaient avant neuf heures près du principal *poll* pour intimider et empêcher les partisans de McDougall de faire enregistrer leur vote. Non content de cela, on s'opposa ouvertement et de la manière la plus brutale à ce que le serment fut administré à plusieurs personnes qui n'avaient aucun droit de prendre part à cette élection ou qui avaient déjà voté trois ou quatre fois.

On faisait boire les ivrognes jusqu'à ce qu'ils fussent entièrement ivres ; on les faisait ensuite voter à tous les *polls*, les contraignant chaque fois à jurer solennellement faux ! Aux *polls* où M. McDougall avait une forte majorité, on faisait le tapage, on cherchait à s'emparer des livres, on menaçait l'officier-rapporteur jusqu'à ce qu'il fût dans la nécessité de se sauver avec les livres, et ensuite les partisans de M. Dawson, les enfants et les étrangers même votaient aux autres *polls* qu'ils tenaient en état de siège et l'on peut dire qu'au moins 150 votes ont été illégalement et injustement enregistrés en faveur de M. Dawson.

Pendant les deux jours du *poll*, la ville a été comme assiégée par une vile canaille venue exprès de Québec pour empêcher la votation à Trois-Rivières et qui, pendant deux ou trois nuits, a parcouru les rues faisant retentir de temps à autre des coups d'armes à feu, enfonçant les portes et brisant les châssis des demeures des citoyens paisibles.

Dans cette élection, l'homme d'affaires John McDougall, ex-maire de Trois-Rivières, de 1855 à 1857, sera finalement battu par son adversaire, William McDonell Dawson. Le biographe Georges Massey relate des coups bas que se sont servis les adversaires lors de cette élection de janvier 1858 :

Le candidat McDougall lance un protêt contre l'élection de Dawson [...]. Au procès qui s'ensuit, la partie défenderesse [Dawson] produit une déposition de François Brousseau à l'effet que John McDougall l'aurait assailli et battu avec une canne au bureau de votation du quartier Saint-Louis [...]. De même, la plainte déposée par Marie Hamel quelques semaines après les élections, accusant McDougall de l'avoir violée le 29 décembre 1857, n'est guère plus révélatrice. La plaignante et son mari, Louis Bertrand, sont d'anciens employés congédiés par le prévenu. Lors de l'enquête, les juges concluent que la plainte de Marie Hamel ne justifie même pas un procès. McDougall était-il victime de manœuvres partisanes visant à ruiner sa réputation ? Les mœurs électorales de l'époque pourraient nous inciter à le croire.

LES PLAISIRS DÉFENDUS

Vers les années 1880, à l'époque de la belle jeunesse des parents de nos grands-parents bien-aimés, les autorités religieuses, considérant que les jeunes commettent des abus, critiquent avec force certains comportements suspects. Non seulement exige-t-on que les curés lisent ces récriminations aux fidèles durant le sermon de la messe dominicale, mais on précise que « les pasteurs des âmes et les confesseurs devront user de toute leur influence pour en détourner les fidèles commis à leur sollicitude ». On ne peut être plus clair.

Dans son mandement daté du 26 avril 1880, Mgr Elzéar-Alexandre Taschereau s'insurge contre les trop longues fréquentations amoureuses et somme les parents d'intervenir auprès de leurs enfants :

> Les Pères de notre sixième concile, dans leur pastorale commune, donnent aux parents des avis fort importants : « Il y a dans la vie de vos enfants une époque de laquelle dépend leur bonheur ; passage bordé d'abîmes célèbres par de nombreuses catastrophes. Vient le temps où ils songent à s'établir et à contracter mariage. Combien embrassent cet état d'après la seule impulsion d'une passion

qui les aveugle un moment pour faire place à une réalité désespérante ! Pendant des années entières, on laisse ces jeunes cœurs nourrir une flamme qui les dévore, qui tarit en eux la piété, obscurcit l'intelligence, et trop souvent entraîne dans des désordres lamentables. Ces trop *longues fréquentations*, comme on les appelle, nous le disons en gémissant, sont une des plaies de notre pays. »

Or, Nos Très Chers Frères, ces *fréquentations*, ce désordre, cette plaie de notre pays, ont lieu le plus souvent le dimanche, et par une négligence incroyable, une faiblesse inconcevable des parents qui ne songent pas même à exercer la moindre surveillance sur ces âmes dont Dieu leur demandera un compte rigoureux, c'est en ce jour qui devrait être sanctifié, que le Seigneur est le plus offensé !

Les divertissements auxquels s'adonnent les jeunes de l'époque représentent une calamité qui déplaît au plus haut point à Mgr Taschereau :

Outre ce désordre [les longues fréquentations] qui se cache, il y en a un autre qui s'étale en public et qui produit un scandale encore plus déplorable. Nous voulons parler, Nos Très Chers Frères, de ces *excursions de plaisir* qui se font les dimanches et fêtes d'obligation en bateau à vapeur, en chemin de fer, ou quelques fois dans une longue file de voitures [à cheval]. L'expérience prouve qu'elles donnent occasion à de tels désordres d'intempérance et d'immoralité, que nous croyons devoir défendre absolument, et sous peine de péché mortel, les *excursions de plaisir* des dimanches et des fêtes d'obligation [...]. Les parents et les maîtres sont tenus en conscience d'empêcher leurs enfants et leurs serviteurs de prendre part à ces *excursions* dites de *plaisir*, mais qui mériteraient plutôt d'être appelées des voyages de péché, de désordre et de malédiction.

Pour culpabiliser davantage les parents, l'évêque en rajoute et fait une mise en garde en décrivant le scénario suivant :

Voilà que, par une négligence inexplicable, par une faiblesse impardonnable, vous avez laissé cet enfant s'exposer au péril [...]. Le voilà cet enfant qui revient à vous esclave du démon, chargé des chaînes du péché, blessé à mort par ce qu'il a vu, entendu et fait dans cette promenade, dans cette veillée, dans cette *excursion de plaisir*! Ce sont là les salaires que le péché donne à ceux qui le commettent.

Le 1er janvier 1889, Mgr Taschereau revient à la charge, se disant cette fois outré de voir comment les femmes s'habillent lorsqu'elles pratiquent des sports d'hiver. Il demande aux curés de livrer son message aux femmes de leur paroisse :

> Le même danger se trouve dans ces glissades et ces promenades en raquettes, où des jeunes filles revêtues d'habillements presque virils, s'exposent à perdre tout sentiment de modestie et de pudeur, et à encourir la condamnation que Dieu en a faite dans l'Ancien Testament [...]. Retenez bien, Nos Très Chers Frères, la menace terrible que Dieu a lancée contre toutes ces sortes d'amusements dangereux : *Je changerai*, dit-il, *toutes vos fêtes en jours de deuil, et toutes vos chansons en pleurs et gémissements.*

FRAUDEURS DANS NOS CAMPAGNES

Les fraudes effectuées par des vendeurs itinérants malhonnêtes ne datent pas d'hier. À la fin du XIXe siècle, on appelait ces escrocs les *chevaliers d'industrie.*

Mis au courant que des arnaqueurs peu scrupuleux ont déjà floué de nombreuses personnes dans plusieurs villages, Mgr Elzéar-Alexandre Taschereau, le 19 novembre 1883, fait parvenir une lettre à tous les curés pour qu'ils recommandent à leurs paroissiens d'être vigilants. Des bandits de grand chemin circulent et leur plan est le suivant : ils proposent à des villageois de devenir des agents pour la vente d'équipement aratoire, mais en exigeant qu'ils versent immédiatement un acompte en argent comptant. L'évêque fait cette mise en garde : « À plus forte raison doivent-ils se garder de donner ou d'avancer de l'argent à ces inconnus, sur une prétendue promesse d'envoi d'instruments aratoires ou autres objets qui n'arrivent jamais. »

Mais sept ans plus tôt, soit en mars 1876, nos bons curés de campagne ont certainement dû être particulièrement scandalisés en apprenant, dans une lettre de leur évêque, que deux escrocs, dont l'un était déguisé en prêtre, se promenaient de village en village pour gonfler leur compte de banque :

> Je crois utile de vous mettre en garde contre deux imposteurs. L'un, dénoncé déjà nominativement dans les journaux de la dernière grande semaine de février, se dit tantôt prêtre, tantôt ecclésiastique, et essaie de s'installer sans façon dans les presbytères ou les familles qui ne s'en défient point. Il prend divers prétextes pour se faire donner des aumônes, se faire prêter de l'argent, etc.
>
> L'autre vend des objets de piété, et entre autres de petits crucifix dans lesquels il a mis de fausses reliques. Vous ferez bien de prémunir les fidèles de votre paroisse contre ces prétendues reliques. S'ils ont acheté de ces crucifix, ils peuvent bien les garder, mais ils doivent en ôter et jeter au feu ces fausses reliques.

ARTHUR BUIES : UN HOMME À MUSELER

Journaliste, écrivain et fonctionnaire, Arthur Buies naît à Côte-des-Neiges le 24 janvier 1840. Après la mort de sa mère, en 1842, son père, William, se remarie et va s'établir à Berbice, au Guyana. Il confie l'éducation de son fils et de sa fille, Victoire, à deux tantes vivant à Québec. Arthur fréquentera trois collèges classiques : celui de Sainte-Anne-de-la-Pocatière, celui de Nicolet et le Petit Séminaire de Québec. Après un séjour au lycée Saint-Louis de Paris, il fait des études en droit à l'Université Laval.

Anticlérical avoué, Buies devient membre de l'Institut canadien, dont il sera le vice-président en 1865. Fondé en 1844, cet organisme se veut un lieu ouvert aux idées nouvelles et vise à stimuler le goût de la lecture, des arts et des conférences. Rappelons que Mgr Bourget mena un combat acharné pour faire fermer cette institution jugée à l'époque menaçante pour la foi catholique et les bonnes mœurs. La célèbre affaire Guibord fut l'un des épisodes pathétiques de cette croisade contre l'Institut canadien.

Selon le biographe Francis Parmentier, Buies est reconnu «comme le maître incontesté de la chronique au Québec». Ses écrits sont publiés dans de nombreux journaux, mais l'une de ses œuvres majeures est son journal *La Lanterne* : «Du 17 septembre 1868 au 18 mars 1869, il rédige chaque semaine, seul, une quinzaine de pages vitrioliques dans lesquelles il met toute sa rage et tout son esprit» à critiquer le clergé, relate Parmentier.

Le 8 août 1887, à Québec, il épouse Marie-Mila Catellier, avec laquelle il aura cinq enfants. Buies mourra le 26 janvier 1901 et sera enterré au cimetière Notre-Dame-de-Belmont, à Sainte-Foy.

La Lanterne

Le 8 novembre 1886, c'est au tour de Mgr Elzéar-Alexandre Taschereau de partir en croisade contre les écrits d'Arthur Buies, et il déclenche les hostilités en rédigeant la *Circulaire au clergé pour condamner La Lanterne*. En introduction, l'évêque déclare ceci : « J'apprends que dans quelques paroisses, on vend ou l'on distribue un pamphlet intitulé *La Lanterne* par Arthur Buies [...]. Je crois devoir vous le signaler comme tout à fait condamnable. »

Pour mieux comprendre l'attitude très hostile de l'évêque envers cette publication, prenons connaissance de quelques propos tenus par Buies dans son journal. Les extraits ci-dessous portent sur les thèmes suivants : la liberté d'expression, l'éducation et le clergé.

La liberté d'expression

Je me suis dévoué à cette œuvre, et aujourd'hui je défie toutes les attaques, je brave toutes les persécutions [...]. Il faut dire ce que l'on pense. Ce n'est pas seulement un droit, c'est un devoir [...]. Ici, il ne faut ni penser, ni dire ce qu'on pense. Quiconque a des idées est un écervelé : mais s'il les exprime, c'est un scélérat. J'accepte d'être un scélérat, ne pouvant me résoudre à être un honnête homme en laissant faire le mal.

Toute vérité n'est pas bonne à dire. C'est là une maxime de poltrons. Dès qu'une chose est vraie, elle est bonne à dire, et doit être dite. C'est l'avantage qu'elle a sur le mensonge qui n'est jamais bon à dire, même pour la plus grande gloire de Dieu […]. Toutes les idées, toutes les doctrines, toutes les théories se discutent dans tous les pays libres, c'est ainsi qu'elles s'éclairent ; et vous voulez me fermer la bouche à moi, sous prétexte que nous sommes en Canada, et qu'il faut ménager l'opinion ! Quel aveu de notre profonde ignorance, de notre infériorité !

L'éducation

Pourquoi ce pays est-il mort ? Pourquoi n'ose-t-il respirer ? C'est parce que le chancre de l'hypocrisie ronge toutes les faces. Tout le monde s'observe, mesure chacun ses mots, pour ne pas se compromettre aux yeux des prêtres.

Cela commence au collège où les élèves apprennent à *rapporter* les uns sur les autres, ensuite c'est dans les institutions fondées par le clergé, dans les *Unions* [syndicats catholiques], dans tous les corps organisés sous leur contrôle, et de là dans la société tout entière qui est un fouillis de tartuffes.

On ne vit pas en Canada, on se regarde vivre les uns les autres.

Aussi, tout languit, parce qu'on n'a pas l'indépendance d'esprit et de caractère nécessaire aux grandes entreprises. On n'ose pas être libre dans son commerce, parce que le clergé veut avoir la main haute sur tout. Un libraire n'est pas libre, mais il vend dans l'arrière-boutique ce qu'il n'étale pas dans la vitrine ou sur ses rayons. Un instituteur n'est pas libre; une école ne peut fleurir si le prêtre n'en est pas établi comme le guide ou l'oracle. Aussi, dans nos campagnes, on est crassement ignorant [...]. L'éducation cléricale est le poison des peuples. Nous sommes des moutons, et qui le veut peut nous tondre.

Le clergé

L'Évêque de Montréal n'avait pas un sou, il y a vingt ans, et aujourd'hui il est le troisième sur la liste des grands propriétaires de la ville.

Où a-t-il pris tout cela? Oh! je le sais, moi, et je le dirai. J'ai à révéler des choses qui feront frémir d'indignation sur le compte de cet accapareur insatiable qui se laisse appeler saint

homme, et qui depuis vingt ans s'engraisse de
la crédulité stupide de ses diocésains.

Des offrandes et des aumônes, il en demande
encore, et il en demandera toujours. Et on
lui en donnera, parce que le peuple canadien,
voyez-vous, a pris l'habitude d'être fouetté, il
est né pour être tondu. Allons, viens ici ; vide
tes poches. Tu ne sais pas comment passer
l'hiver, le bois coûte dix piastres la corde, les
marchés sont devant toi, mais tu n'as pas un
sou pour y aller, c'est égal, appelle-nous saint
évêque, bon curé, prends le scapulaire, mets-
toi à genoux, et meurs de faim.

Vous autres, habitants des campagnes, vous
n'avez pas dix piastres pour payer une dette
et empêcher vos terres d'êtres vendues, c'est
égal, cotisez-vous pour nous bâtir de belles
églises, nous faire des presbytères splendides,
venez avec la dîme, fruit de vos sueurs, pour
que rien ne nous manque à nous, pour que
nous soyons gros et gras ; en revanche, on
vous chantera des messes, on confessera vos
jolies filles […]. Venez payer des *bouquets à
Marie* [la Sainte Vierge] pour mettre cent
piastres dans la poche de votre curé […]. Je
soutiens que l'évêque de Montréal n'est pas
le représentant du Christ.

Il est bien évident que, devant de tels propos, les
autorités religieuses n'allaient pas accepter de se faire

mordre le mollet de la sorte sans réagir. Dans sa *Circulaire au clergé*, Mgr Taschereau qualifie *La Lanterne* d'«amas confus de blasphèmes, d'attaques contre l'Église catholique, sa hiérarchie, ses œuvres, son enseignement, ses institutions». Déplorant que Buies se vante lui-même d'avoir été mis à la porte de trois collèges, l'évêque constate qu'il ose insulter les Canadiens français en mentionnant qu'ils seraient de moins en moins civilisés, qu'ils ne connaissent même pas leur ignorance et qu'ils négligent de s'instruire davantage. En conséquence, Mgr Taschereau ordonne ceci au clergé :

> Si vous avez connaissance, Monsieur le Curé, que la susdite brochure intitulée *La Lanterne, par Arthur Buies… nouvelle édition 1884*, se trouve dans votre paroisse, vous prémunirez vos paroissiens contre les doctrines qu'elle contient et en interdirez la lecture. Il va sans dire que la première édition est aussi condamnée.

ANNEXE 1
DE LA SÉPULTURE DES DÉFUNTS

Dans le *Rituel du diocèse de Québec*, publié en 1703 par l'évêque de Québec, on trouve une foule de renseignements au sujet des us et coutumes relatifs à la sépulture des défunts.

- Doit-on voir le corps du défunt? Voici ce qu'on indique: «Comme il n'y a que les ecclésiastiques, les religieux et religieuses dont les corps puissent paraître découverts après leur mort, Nous défendons expressément aux curés de laisser paraître ceux des laïques en cet état, et encore plus de les laisser porter ainsi dans la rue.»

- Quant à la sépulture, voici les règles à observer: «Les hommes doivent toujours ensevelir les corps des hommes et les femmes ceux des femmes. Les hommes seuls peuvent porter les uns et les autres à la sépulture. Les curés ne permettront sous aucun prétexte aux femmes ou aux filles de faire cette fonction [porter].»

- À l'époque, on aménageait un cimetière pour les personnes décédées d'une maladie contagieuse: «Dans les temps de peste et de contagion, on n'apportera pas les corps des défunts dans l'église, mais on les mettra tout d'un coup dans le cimetière qui sera destiné pour enterrer les corps de ceux qui seront morts de ces maladies, lequel cimetière doit être béni et séparé du cimetière ordinaire. »

- Le rituel prescrit un délai à observer avant l'enterrement d'un défunt : « Les curés prendront soin de laisser passer toujours vingt-quatre heures entre le décès et la sépulture du défunt, surtout lorsque sa mort aura été subite. S'il était mort d'une longue maladie, qui ne laissa pas lieu de douter, et qu'on eut des raisons importantes pour presser l'enterrement, il suffira pour lors de laisser douze heures entre son décès et la sépulture. »

- Dans le *Rituel*, on donne la raison pour laquelle, dans l'église, on place la tombe de manière que les pieds du défunt soient en premier : « Les laïcs auront les pieds tournés du côté de l'autel, les prêtres et autres ecclésiastiques, du côté de la porte [le contraire], pour marquer que les fidèles laïcs doivent aller à Dieu par Jésus-Christ dans ce dernier passage, et que les ecclésiastiques, étant unis à Jésus-Christ par leur ministère, regardent avec lui le peuple, en continuant leurs soins par leurs prières, pour son salut, même après leur mort. »

- On fait des recommandations sur l'aménagement et l'usage du cimetière :

« Les lieux qui sont destinés par l'Église pour servir de sépulture aux fidèles sont appelés cimetières, c'est-à-dire lieux de repos. Ils doivent être considérés comme des lieux saints et sacrés [...]. Nous déclarons que les cimetières doivent toujours être séparés par de bonnes clôtures des lieux profanes [...]. Nous leur ordonnons [aux curés] d'instruire leurs paroissiens que lorsqu'ils entrent et demeurent dans des cimetières, ce ne doit pas pour y traiter d'affaires temporelles, y tenir des assemblées, des foires et des marchés, des jeux, des danses et autres choses profanes [...]. L'Église a défendu de labourer les cimetières, d'y planter de la vigne et des arbres, d'y laisser entrer les animaux pour y paître, d'y laisser étendre des toiles, des linges pour les blanchir et sécher, d'y laisser vanner ou battre le blé. »

• À cette période, l'Église enlevait à certaines personnes le droit à une sépulture dans un cimetière :

On doit refuser la sépulture ecclésiastique à plusieurs catégories de personnes.

– Aux Juifs, aux infidèles, aux hérétiques, apostats, schismatiques et à tous ceux qui ne font pas profession de la religion catholique.

– Aux enfants morts sans baptême.

– À ceux qui ont été nommément excommuniés ou interdits, à moins qu'ils n'aient donné avant de mourir des marques publiques de leur pénitence.

– À ceux qui se sont tués par colère ou par désespoir [suicide].

– À ceux qui auraient été tués en duel, quand même ils auraient donné des marques de repentir avant leur mort.

– À ceux qui, sans excuse légitime, n'ont pas satisfait à leur devoir pascal, à moins qu'ils n'aient donné des marques de contrition avant de mourir.

– À ceux qui sont morts notoirement coupables de quelque péché mortel public et scandaleux, comme il arrive à ceux qui refusent de se confesser ou de recevoir les sacrements de l'Eucharistie et d'Extrême-Onction en mourant, ceux qui ne veulent pas pardonner à leurs ennemis ou ceux qui blasphèment sciemment.

– Aux pécheurs publics qui sont morts dans l'impénitence, tels sont les concubinaires, les filles ou femmes prostituées, les sorciers, les farceurs.

ANNEXE 2
DES RÈGLES DU MARIAGE

Le *Rituel du diocèse de Québec*, publié par Mgr de Saint-Vallier en 1703, présente de nombreux détails intéressants sur le mariage à l'époque de nos premiers ancêtres.

- Qui pouvait se marier et à quel âge? À l'article premier, intitulé *Des personnes capables de contracter mariage*, on précise ceci:

« Selon le Droit Civil et Canonique, personne ne doit être marié avant l'âge de puberté, qui est celui de quatorze ans pour les garçons et de douze ans pour les filles. Et selon les ordonnances, les enfants ne doivent pas se marier sans le consentement de leurs pères, mères, tuteurs ou curateurs. Les ordonnances de nos rois punissent d'exhérédation [action de déshériter] les garçons qui se sont mariés sans ce consentement avant l'âge de trente ans et les filles avant vingt-cinq ans. Et l'Édit de 1697 veut que les veuves de vingt-cinq ans obtiennent pareil consentement [...]. Le même Concile exhorte les fiancés de ne point demeurer dans une même maison avant la bénédiction nuptiale. »

• Les nouveaux mariés pouvaient demander à leur curé de faire une cérémonie appelée *bénédiction du lit nuptial* :

«On peut faire la Bénédiction d'un lit en tout temps. Mais si des nouveaux mariés demandent qu'on bénisse leur lit, Nous ordonnons en ce cas que la bénédiction s'en fasse après la célébration du mariage, avant le dîner, afin que la modestie y soit gardée de telle manière que rien ne s'y fasse contre la sainteté de cette cérémonie. »

Le curé parlera d'une manière grave et modeste aux mariés en ces termes :

«Nous ne pouvons nous dispenser de vous dire avec saint Paul, qu'il est nécessaire que le mariage soit traité de tous avec honnêteté, et que le lit nuptial doit être pur et sans tache, vous souvenant que vous êtes les enfants des Saints et de Dieu même. Que votre chair par l'union du Verbe avec la nature humaine est devenue la chair de Jésus-Christ. Que vos corps sont le temple du Saint Esprit, que vous n'y devez toucher que comme à des vases sacrés, c'est-à-dire avec modestie et pudeur. Souvenez-vous que votre lit nuptial sera un jour le lit de votre mort d'où vos âmes seront enlevées pour être présentées au tribunal de Dieu pour y recevoir le terrible châtiment des sept maris de Sara si vous vous y rendez comme eux esclaves de votre chair, de vos passions et de votre concupiscence. Joignez vos prières aux nôtres et demandez à Dieu qu'il détourne de vous un sort si malheureux, qu'il éloigne de votre lit et de vos cœurs l'esprit d'impureté et qu'il y fasse régner celui de la chasteté. »

• Au deuxième article du *Rituel*, on présente diverses situations qui sont des *empêchements canoniques* à la tenue d'un mariage :

L'erreur sur la personne

« Le premier de ces empêchements, qu'on appelle erreur, est lorsqu'on est trompé en la personne même que l'on épouse. Par exemple, si Pierre, pensant épouser Marie, épouse Catherine qu'on lui substitue, le mariage est nul. Il y a une erreur qui ne regarde que les circonstances, comme lorsque Pierre croit que Marie qu'il épouse est riche, vierge et noble, et cependant ne l'est pas. »

Épouser une personne non libre

« L'empêchement qui vient de la *condition* est lorsque l'une des parties est trompée sur l'état de l'autre. Par exemple, si Pierre épouse Marie, la croyant d'une condition libre et qu'elle fût esclave, il n'y aurait point de mariage. [L'intendant Raudot a rendu l'esclavage légal en Nouvelle-France, en 1709.]»

Les personnes ayant prononcé des vœux religieux

«Par ce mot, on entend le vœu solennel de chasteté ou de religion et même le vœu simple qui se fait à la profession religieuse, après les deux ans de noviciat, alors il rend nul le mariage que l'on voudrait faire.»

Les liens de parenté

«*Cognatio.* Par ce mot, l'on doit entendre l'empêchement qui vient de la parenté ou consanguinité, laquelle en ligne directe, rend toujours le mariage nul, soit entre les ascendants ou descendants comme père, aïeul, fils, petit-fils [...]. Selon cette même règle, la consanguinité qui est entre l'oncle et la nièce, la tante et le neveu, est au second degré défendu.»

L'homicide et l'adultère

«Il y a deux crimes qui rendent le mariage nul, à savoir l'homicide et l'adultère. L'homicide est un empêchement dirimant [obstacle juridique] en deux cas. (1) Lorsque Pierre a conspiré avec Marie, qu'il veut épouser, de faire mourir Catherine sa femme et que la conspiration a eu effet. (2) Lorsque Pierre, après avoir commis l'adultère avec Marie, fait mourir Catherine dans l'intention d'épouser Marie, quoique sans la participation de Marie. En ces deux cas, le crime rend le mariage nul.»

«L'adultère le rend nul aussi en deux cas. (1) Lorsque Pierre commet l'adultère avec Marie, avec promesse de l'épouser, si Catherine, sa femme, vient à mourir, quand la promesse est acceptée par Marie qui sait que Pierre est marié. (2) Lorsqu'il épouse ladite Marie, laquelle comme lui sait bien que Catherine sa femme n'est pas morte, Pierre ne peut plus épouser Marie après la mort de Catherine.»

La différence religieuse

«Le *Cultus disparitas* est un empêchement qui venant de la différence du culte, qui se rencontre entre deux personnes dont l'une est baptisée et l'autre ne l'est pas, rend le mariage nul [...]. Nous défendons aux prêtres de notre diocèse de marier les catholiques avec les hérétiques, sous peine de suspense.»

Dans les cas de violence

«Le mariage étant un contrat libre, la violence le rend absolument nul. C'est pourquoi le Concile de Trente prononce anathème contre les seigneurs et autres personnes d'autorité qui forcent, directement ou indirectement, leurs sujets à se marier contre leur volonté. »

Les personnes des ordres sacrés

« L'*Ordo* est l'engagement qu'on a contracté en prenant les ordres sacrés, ce qui cause un empêchement dirimant. La prêtrise, le diaconat et le sous-diaconat forment cet empêchement. »

L'impuissance

« Un empêchement qui vient de l'impuissance lorsqu'un ou qu'une des deux parties ne peut pas consommer l'action de mariage avec l'autre. Il y a une grande différence entre l'impuissance et la stérilité. La stérilité n'empêche pas l'action du mariage, mais fait seulement qu'on n'a pas d'enfants. L'impuissance au contraire empêche l'usage et la consommation du mariage. La stérilité n'est pas un empêchement, l'impuissance en est un qui rend le mariage nul, mais pour cela il faut qu'elle ait précédé le mariage et qu'elle soit jugée perpétuelle. Que si l'impuissance est survenue depuis le mariage ou qu'elle puisse être ôtée par des remèdes naturels ou par les prières de l'Église, elle ne rend pas le mariage nul. »

Les cas de rapt

« Le rapt fait un empêchement dirimant au mariage, pendant que la personne ravie est en la puissance du ravisseur. Si elle consent volontairement à épouser celui qui l'a ravie, quand elle est mise en liberté, il n'y a plus d'empêchement. »

Les cas clandestins

« La *clandestinité* est lorsque le mariage a été fait en l'absence du curé et de deux ou trois témoins. Il est nul par ce défaut de formalité, que le Concile a rendu nécessaire par son décret. »

ANNEXE 3
DU PAIN BÉNIT

En 1920, dans l'*Almanach de l'Action sociale catholique*, le chanoine V.-A. Huard raconte comment on célébrait la cérémonie du pain bénit dans la paroisse de Saint-Roch, à Québec :

> « Or, donc, un dimanche midi, on recevait le chanteau... C'était une section de l'une des grosses galettes du pain bénit, qui nous venait de la sacristie et c'était l'annonce que ce serait notre tour, le dimanche suivant, de rendre le pain bénit ; chaque famille, de voisin à voisin, le rendait à son tour.

> « Entre-temps, on s'était abouché avec un boulanger ou un pâtissier, qui ferait le pain bénit pour tel ou tel prix, suivant le nombre d'étages et la richesse de la pâte. Cette pâte légèrement sucrée était d'un goût agréable, et les jeunes chrétiens qui assisteraient à la grand-messe dans le banc de famille, trouvaient que les morceaux étaient bien petits, lorsqu'on distribuait le pain bénit parmi les fidèles. Il m'arriva pourtant une fois de trouver les morceaux beaucoup trop gros...

C'était à Saint-Vallier où, dans ma toute prime enfance, l'on m'avait un dimanche conduit à la grand-messe. Je constatai avec ravissement que les morceaux étaient fortement volumineux. Malheureusement, mon bonheur fut de courte durée : car je m'aperçus bientôt que le pain bénit, dans cette église "rurale", c'était du pain ordinaire, peut-être du "pain d'habitant", comme on disait autrefois.

« Sur une table placée à la limite du chœur, près du bas-chœur, et reposant là sur un brancard, s'élevait le pain bénit, colonne de huit ou dix pieds de hauteur. À la base des étages, il y avait de grands gâteaux, dont le diamètre diminuait légèrement en montant, de l'un à l'autre. Sur le pourtour de la colonne, entre les gâteaux et debout, se tenaient les cousins qui paraissaient les soutenir. Les *cousins*, c'était de petits gâteaux allongés et plats, dont les quatre coins étaient tournés en volute. Sur le centre du cousin on avait appliqué une feuille d'or ou d'argent, et la joie des petits était vive lorsque par hasard leur était échu, dans la distribution, un morceau qui s'adonnait ainsi à être doré ou argenté. Parfois aussi, lorsque c'était grande fête ou que le pain bénit était rendu par quelque association paroissiale, tout le pain bénit était revêtu d'une couche de sucre blanc. Le contentement des tout jeunes,

quand « leur » morceau se trouvait à provenir
de l'une des surfaces ainsi revêtues de sucre !
Et puis, de-ci, de-là, tout autour et tout le
long du pain bénit, il y avait de petits dra-
peaux de couleurs variées. Au sommet, et
couronnant le tout, il y avait, reposant sur un
pain de Savoie, un bouquet de fleurs ou un
ange prêt à s'envoler.

« Au commencement de la messe, le célé-
brant venait avec ses ministres faire la
bénédiction du pain bénit, donner ensuite la
"paix" à baiser à l'enfant qui, se tenant au
bas-chœur, était censé représenter la famille
intéressée et faisait en son nom l'offrande
d'une petite pièce d'argent.

« Et alors il s'agissait de transporter à la
sacristie le monument pavoisé, fleuri, doré
ou sucré. Deux officiers de la sacristie, revê-
tus de la grande toge noire et rouge, s'ins-
tallaient dans les bras du brancard qu'ils
plaçaient sur leurs épaules, soulevaient tout
le monument et se dirigeaient vers les
portes de sortie du chœur [...]. Cependant,
cahin-caha, le tout arrivait à la porte de la
sacristie. On abaissait le pain bénit jusqu'à
terre, on enlevait le nombre d'étages qu'il
fallait pour qu'il pût passer sans encombre
par la porte, et il disparaissait dans le mys-
tère de la sacristie. Les officiers du lieu
procédaient là au dépeçage des gâteaux, ce

pendant que les fidèles écoutaient le prône et le sermon.

« Au *Credo*, on voyait entrer dans la nef les sacristains portant chacun un vaste panier revêtu d'étoffe au dehors et au dedans, et rempli de petits cubes de pain bénit, qu'il s'agissait de distribuer à tous les assistants. Ils s'arrêtaient à chaque banc, présentaient le panier au paroissien qui était au bord, lequel prenait le nombre de morceaux corres-pondant au nombre de personnes qui étaient dans son banc, et les leur présentaient sur son livre de messe ouvert. Chacun se signait pieusement avec son morceau de pain bénit et le mangeait.

« Voilà pour la partie religieuse de l'usage du pain bénit, tel qu'il se pratiquait il y a un demi-siècle dans nos églises de Québec.

« Mais il y avait aussi à l'affaire un côté social, ainsi que l'on peut le supposer quand on connaît les traditions de politesse que nos pères n'ont pas manqué de nous léguer. Cela consistait en ce que la famille qui rendait le pain bénit devait envoyer des cousins en hommage à tous les parents et amis de la ville, quitte à recevoir la pareille en temps et lieu. »

NOTES

1. Selon le dictionnaire de Furetière, une barque est définie à cette époque comme «un fort petit bâtiment de mer qui sert à porter des munitions, à charger ou décharger les navires qui sont à la rade», et c'est aussi «un petit bateau qui sert à passer une rivière, ou à y voiturer [transporter] des marchandises en petite quantité».

2. Le dictionnaire de Furetière donne cette définition du terme ondoyer: «Jeter de l'eau sur la tête d'un enfant, au nom du Père, du Fils et du Saint-Esprit, en attendant les cérémonies du baptême.»

RÉFÉRENCES

AAQ : Archives de l'Archevêché de Québec
ANQ : Archives nationales du Québec
BNQ : Bibliothèque nationale du Québec
BRH : *Bulletin de recherches historiques*
DBC : *Dictionnaire biographique du Canada*
RAPQ : *Rapport de l'Archiviste de la Province de Québec*

Terreur et massacre dans la basse-cour

Jeanne-Françoise Juchereau de Saint-Ignace, Marie-Andrée Regnard Duplessis de Sainte-Hélène, *Les Annales de l'Hôtel-Dieu de Québec*, p. 21, 45-46 – René Jetté, *Dictionnaire généalogique des familles du Québec*, p. 246 – Marie-Jean-D'Ars Charrette, « Marie-Françoise Giffard », *DBC*, tome 1, p. 338 – Honorius Provost, « Robert Giffard », *DBC*, tome 1, p. 338-339.

Pierre Aigron, l'excommunié

René Jetté, *Dictionnaire généalogique des familles du Québec*, p. 3-4 – Michel Langlois, *Dictionnaire biographique des ancêtres québécois*, tome 1, p. 25-26 – *RAPQ*, tome 1951-1952, p. 467 – Gustave Lanctot, DBC, vol. 1, p. 42 – *Mandements, lettres pastorales et circulaires des évêques de Québec*, tome 1, p. 30-32, 41, 91-92 – *Jugements et délibérations du Conseil supérieur de Québec*, tome 2, p. 856 – Auguste Gosselin, *Vie de Mgr de Laval*, tome 1, p. 291-295.

La vaine vanité des vaniteux

« Règlements pour les enterrements et services dans la paroisse de Québec », *Mandements, lettres pastorales et circulaires des évêques de Québec*, vol. 1, p. 33-34 – Arthur Maheux, « Henri de Bernières », *DBC*, vol. 1, p. 94-95 – Luc Noppen, *Notre-Dame de Québec*, p. 23 – « Testament de Louis-Hector de Callière », *RAPQ*, 1920-1921, p. 320 – « Testament de Augustin de Saffray de Mezy », *RAPQ*, 1920-1921, p. 247 – W. J. Eccles, « Augustin de Saffray de Mézy », *DBC*, tome 1, p. 600-604 – Yves F. Zoltvany, « Louis-Hector de Callière », *DBC*, tome 2, p. 117-122.

Des débauches interrompues

Jeanne-Françoise Juchereau de Saint-Ignace, Marie-Andrée Regnard Duplessis de Sainte-Hélène, *Les Annales de l'Hôtel-Dieu de Québec*, p. 122-127, 361.

L'argent tombe du ciel

Jeanne-Françoise Juchereau de Saint-Ignace, Marie-Andrée Regnard Duplessis de Sainte-Hélène, *Les Annales de l'Hôtel-Dieu de Québec*, p. 187-188 – Pierre-Joseph-Marie Chaumonot, *La vie du R. P. Pierre-Joseph-Marie Chaumonot, de la Compagnie de*

Jésus, p. 92-94 – André Surprenant, «Pierre-Joseph-Marie Chaumonot», *DBC*, vol. 1, p. 210-211.

Le baptême retardé

«Ordonnance contre Jean Dumets sur le refus de baptiser son enfant» et «Ordonnance sur l'administration du sacrement de baptême», *Mandements, lettres pastorales et circulaires des évêques de Québec*, tome 1, p. 104, 161 – René Jetté, *Dictionnaire généalogique des familles du Québec*, p. 325-326 – Cyprien Tanguay, *Répertoire général du clergé canadien* [microforme], p. 63.

Doux Jésus : deux bigames !

Michel Langlois, *Dictionnaire biographique des ancêtres québécois*, tome 1, p. 199 – René Jetté, *Dictionnaire généalogique des familles du Québec*, p. 108, 109, 913 – Robert-Lionel Séguin, *La vie libertine en Nouvelle-France*, tome 2, p. 422-426. – «Ordonnance pour remédier à différents abus», *Mandements, lettres pastorales et circulaires des évêques de Québec*, tome 1, p. 277 – «Mémoire de Talon sur le Canada au ministre Colbert», *RAPQ*, 1930-1931, p. 126 – *Jugements et délibérations du Conseil souverain de la Nouvelle-France*, tome 1, 11 septembre 1673.

La procession des prétentieux

«Acte de suspension des processions à cause de la préséance des marguilliers», *Mandements, lettres*

---

pastorales et circulaires des évêques de Québec, tome 1, p. 29-30 – Pehr Kalm, *Voyage de Pehr Kalm au Canada en 1749*, p. 276-277 – Pierre-Georges Roy, « Les chicanes de préséances sous le régime français », *Cahiers des Dix*, 1941, p. 74 – Auguste Gosselin, *Vie de Mᵍʳ de Laval*, tome 1, p. 258-259.

La Hontan peste contre les curés

Louis-Armand La Hontan, *Voyages au Canada du baron de La Hontan.*

L'ensorceleur de religieuses

Jeanne-Françoise Juchereau de Saint-Ignace, Marie-Andrée Regnard Duplessis de Sainte-Hélène, *Les Annales de l'Hôtel-Dieu de Québec*, p. 266-267 – *Grand dictionnaire universel du XIXᵉ siècle*, tome VIII, p. 1447-1448 – Claude Bertin, « Urbain Grandier », *Les grands procès de l'histoire de France*, tome 18.

De jeunes mâles libertins

« Ordonnance touchant le sacrement de mariage », *Mandements, lettres pastorales et circulaires des évêques de Québec*, tome 1, p. 300-301 – Robert-Lionel Séguin, *La vie libertine en Nouvelle-France au XVIIᵉ siècle*, tome 2, p. 370-371 – E.-Z. Massicotte, « Mis sous le voile », *BRH*, tome 38, p. 553-554, 708-709 – ANQ, registre paroissial de Sainte-Anne-de-Varennes, mariage d'Antoine-François Baillon dit Lacouture et Angélique Barabé, 6 février 1758.

Les exclus de l'absolution

Les textes des procès sont publiés dans *Jugements et délibérations du Conseil souverain de la Nouvelle-France*, 7 volumes – « Mandement pour les cas réservés », *Mandements, lettres pastorales et circulaires des évêques de Québec*, tome 1, p. 328-329 – Robert-Lionel Séguin, *La vie libertine en Nouvelle-France au XVIIe siècle*, tome 1, p. 46, tome 2, p. 348 – René Jetté, *Dictionnaire généalogique des familles du Québec*, p. 1108-1109 – *Voyages au Canada du baron de La Hontan*, p. 42 – André Lachance, *La justice criminelle du roi au Canada*, p. 128.

Au voleur !

Jugements et délibérations du Conseil souverain de la Nouvelle-France, tome 1, p. 398 – Cyprien Tanguay, *Répertoire général du clergé canadien* [microforme], p. 52.

À chacun son jardin

Jugements et délibérations du Conseil souverain de la Nouvelle-France, tome 6, p. 489 – Michel Langlois, *Dictionnaire biographique des ancêtres québécois*, tome 2, p. 300 – Raymond Gariépy, « Louis-Gaspard Dufournel », *DBC*, tome 3, p. 215-217.

Défroqué, le moine est en cavale

Georges-François Poulet, « Récit simple de ce qu'un religieux bénédictin a souffert au Canada au sujet de la bulle Unigenitus », *RAPQ*, tome 1922-1923, p. 274-289 – *Les Annales de l'Hôtel-Dieu de Québec*, p. 404-408 – H. R. Casgrain, « L'ermite de Trois-Pistoles », *BRH*, tome 5, p. 260-267 – Nive Voisine, « Georges-François Poulet, dit M. Dupont », *DBC*, tome 2, p. 551-552 – « Ordonnance au sujet de Dom Georges-François Poulet, moine défroqué », *Mandements, lettres pastorales et circulaires des évêques de Québec*, tome 1, p. 496-498 – « Jansénisme », *Encyclopedia Universalis* (2002), tome 12, p. 700-702 – « Jansénisme », *Le Grand Larousse universel* (1991), tome 8 – Cyprien Tanguay, *Répertoire général du clergé canadien*, p. 92.

Et vogue la galère, on se marie *à la gaumine*

« Procès de Louis de Montéléon et de Marie-Anne-Joseph de l'Estringant accusés de s'être mariés à la gaumine dans l'église de Beauport le 7 janvier 1711 », *RAPQ*, tome 1920-1921, p. 366-407 – « Mandement pour condamner les mariages à la gaumine », *Mandements, lettres pastorales et circulaires des évêques de Québec*, tome 1, p. 492-494 – Marcel Planiol, *Traité élémentaire de droit civil*, tome 1, p. 284-285 – Robert-Lionel Séguin, *La civilisation traditionnelle de l'habitant aux 17e et 18e siècles*, p. 271-272 – « Correspondance de Mgr J.-O. Briand », *RAPQ*, tome 1929-1930, p. 90 – « Correspondance de Mgr Jean-François Hubert », *RAPQ*, tome 1930-1931, p. 208 – Donald J. Horton, « Claude-Michel Bégon de La Cour », *DBC*, tome 3, p. 59-60 – Céline Dupré, « Marie-Élisabeth Rocbert de La Morandière », *DBC*, tome 3, p. 609-611.

Les plaisirs... du luxe, de la chair et des festins

« Avis donnés au gouverneur et à la gouvernante sur l'obligation où ils sont de donner le bon exemple au peuple », *Mandements, lettres pastorales et circulaires des évêques de Québec*, tome 1, p. 169-172 – Pehr Kalm, *Voyage de Pehr Kalm au Canada en 1749*, p. 442 – W. J. Eccles, « Jacques-René Brisay de Denonville », *DBC*, tome 2, p. 102-109.

L'affaire du prie-Dieu

Auguste Gosselin, *L'Église du Canada*, tome 1, p. 116-123 – « L'affaire du prie-Dieu, à Montréal, en 1694 », *RAPQ*, tome 1923-1924, p. 71-110.

Des chauffards invétérés

Gérard Ouellet, *Ma paroisse Saint-Jean-Port-Joly*, p. 44-49 – BNQ, « Ordonnance qui défend aux habitants de faire galoper leurs chevaux et leurs carrioles à la sortie de l'église », *Ordonnances des intendants* [microforme], 29 février 1716 – ANQ, ordonnance de Jacques Raudot, le 16 août 1710, et ordonnance de Michel Bégon, le 24 décembre 1715.

On se dénude à La Prairie

Mgr de Saint-Vallier, « Lettre aux habitants de la paroisse de Laprairie », AAQ, registre C, 28 mai 1719, p. 116.

Faire ses Pâques

Denise Rodrigue, *Le cycle de Pâques au Québec et dans l'Ouest de la France*, p. 252-253 – Carmen Roy, *Littérature orale en Gaspésie*, p. 139 – Pierre-Georges Roy, « Les légendes canadiennes », *Cahiers des Dix*, tome 1937, p. 50 – *La Gazette de Québec*, le 10 décembre 1767 – AAQ, *Lettre à M. Gervais Lefebvre curé de Batiscan*, registre C, 23 mai 1719 – AAQ, *Lettre à M. Maisonbasse curé de Saint-Thomas*, registre 4, 25 avril 1770, f119.

Un libertin extradé

Marcel Trudel, *L'esclavage au Canada français*, p. 234-235 – Auguste Gosselin, *L'Église du Canada*, tome 3, p. 55-57 – Michel Paquin, « Marguerite Duplessis », *DBC*, tome 3, p. 219-220.

Les délinquants du pain bénit

Charles Trudelle, « Le pain bénit », *BRH*, tome 18, juin 1912, p. 161-172 – *The Jesuit Relations and Allied Documents*, tome 27, p. 118 – « Ordonnance pour que le pain bénit soit rendu », *Arrêts et règlements du Conseil supérieur de Québec*, p. 137 – ANQ, *Inventaire des ordonnances des intendants 1705-1750* – E.-Z. Massicotte, « Procès à propos de pain bénit », *BRH*, tome 1940, p. 318-320 – Pierre-Georges Roy, *Inventaire des jugements et délibérations du Conseil supérieur de la Nouvelle-France*, tome 4, p. 110-111 – *Encyclopédie ou Dictionnaire raisonné des sciences, des arts et des métiers*, tome 11, p. 751 – Céline Dupré, « Jean-Louis de La Corne de Chaptes », *DBC*, tome 2, p. 341-342.

De bal en bal

« La correspondance de madame Bégon », *RAPQ*, tome 1934-1935.

Un curé insultant

Auguste Gosselin, *L'Église du Canada*, vol. 3, p. 254-255 – René Jetté, *Dictionnaire généalogique des familles du Québec*, p. 555 – Laurent Leclerc, *Les Grondines*, p. 81 – Louis Pelletier, *Le clergé en Nouvelle-France*, p. 230 – Cyprien Tanguay, *Répertoire général du clergé canadien*, p. 129.

Les voyous du dimanche

« Mandements pour réprimer certains abus qui s'étaient introduits dans le diocèse », *Mandements, lettres pastorales et circulaires des évêques de Québec*, tome 1, p. 359-366 – ANQ, *Ordonnances de l'intendant Jacques Raudot*, 12 novembre 1706, 25 mai 1709 – ANQ, Ordonnance d'Antoine-Denis Raudot, 7 juillet 1710 – ANQ, Ordonnances de Michel Bégon, 10 février 1723, 15 avril 1722 – Auguste Gosselin, *L'Église du Canada*, tome 1, p. 309-310 – « Inventaire de la correspondance de Mgr J.-O. Briand », *RAPQ*, tome 1929-1930, p. 121 – AAQ, *Lettre de Mgr Saint-Vallier aux habitants de Charlesbourg*, registre A, 20 décembre 1697 – AAQ, *Lettre de Mᵍʳ Saint-Vallier au missionnaire de Saint-Nicolas*, registre C, p. 113.

Elles couchent avec l'ennemi

Marcel Trudel, *L'Église canadienne sous le Régime militaire*, 2 volumes – ANQ, registre de la paroisse Notre-Dame, 31 août 1763 – ANQ, registre de la paroisse Saint-Ambroise de la Jeune Lorette, 21 septembre 1761 – ANQ, registre de la paroisse Saint-François [île d'Orléans], 3 août 1765 – Cyprien Tanguay, *Dictionnaire généalogique des familles canadiennes*, tome 4, p. 103.

L'escapade nocturne d'une ursuline

AAQ, *Lettre à la Mère de l'Enfant Jésus, supérieure des Ursulines, Québec*, volume 3, 18 juillet 1770, p. 331 – Pehr Kalm, *Voyage de Pehr Kalm au Canada en 1749*, p. 280-281 – Georges-Émile Giguère, «Augustin-Louis de Glapion», *DBC*, tome 4, p. 321-322.

Les *couraílleurs* de miracles

«Mandement aux habitants de Saint-Jean-Port-Joli», *Mandements, lettres pastorales et circulaires des évêques de Québec*, tome 2, p. 457-459 – Robert-Lionel Séguin, *La sorcellerie au Québec*, p. 121-125 – Gérard Ouellet, *Ma paroisse Saint-Jean-Port-Joly*, p. 77-79 – «Mandement contre les pratiques superstitieuses» et «Lettre adressée aux archiprêtres des paroisses comprises entre Québec et Trois-Rivières », *Mandements, lettres pastorales et circulaires des évêques de Québec,* tome 3, p. 35-36.

Un paroissien tente d'étrangler son curé

AAQ, *Lettre aux habitants de Sainte-Anne-de-Beaupré,* registre de lettres n° 5, 13 février 1782, p. 113-116 – AAQ, *Lettre à M. Hubert, curé de Château-Richer,* registre de lettres n° 5, 25 février 1782, p. 110-111.

Elle rabroue solidement son mari

Isaac Weld, *Travels through the States of North America,* 2 tomes – G. M. Craig, « Isaac Weld », *Dictionnaire biographique du Canada,* tome 8, p. 1028.

Les Montréalais dépravés

Ed. Allen Talbot, *Cinq années de séjour au Canada,* tome 2, p. 243 – Jacqueline Roy, « John Lambert », *DBC,* tome 5, p. 519-520 – Daniel J. Brock, « Edouard Allen Talbot », *DBC,* tome 7, p. 912-914.

On fait parler les morts

« Lettre pastorale concernant les tables tournantes », *Mandements, lettres pastorales et circulaires des évêques de Québec,* tome 4, p. 135-143 – « Circulaire », *Mandements, lettres pastorales et circulaires des évêques de Québec,* tome 4, p. 144 – Th. De Cauzons, « La magie contemporaine », *La magie et la sorcellerie en France*, tome 4, p. 349-359.

Des mœurs électorales douteuses

Jean et Marcel Hamelin, *Les mœurs électorales dans le Québec de 1791 à nos jours*, 124 p. – « Mandement de Monseigneur E.-A. Taschereau, archevêque de Québec, sur les devoirs des électeurs pendant les élections », *Mandements, lettres pastorales et circulaires des évêques de Québec*, tome 5, 28 mai 1876, p. 403 – Jean Poirier, « James Cuthbert », *DBC*, tome 4, p. 205-207 – Georges Massey, « John McDougall », *DBC*, tome 9, p. 535-538.

Les plaisirs défendus

Mandements, lettres pastorales et circulaires des évêques de Québec, tome 6, p. 197, et tome 7, p. 56.

Fraudeurs dans nos campagnes

Mandements, lettres pastorales et circulaires des évêques de Québec, tome 5, p. 386, et tome 6, p. 382.

Arthur Buies : un homme à museler

« Circulaire au clergé pour condamner *La Lanterne* », *Mandements, lettres pastorales et circulaires des évêques de Québec*, tome 6, p. 591-592 – Marcel-A. Gagnon, *La Lanterne d'Arthur Buies*, 253 p. – Francis Parmentier, « Arthur Buies », *DBC*, tome 13, p. 137-142.

BIBLIOGRAPHIE

1. Sources

Archives de l'Archevêché de Québec.

Archives nationales du Québec.

Chaumonot, Pierre-Joseph-Marie, *La vie du R. P. Pierre-Joseph-Marie Chaumonot, de la Compagnie de Jésus*, Nouvelle York, Isle de Manate, À la presse Cramoisy de Jean-Marie Shea, 1858, 108 p.

« Correspondance de madame Bégon », *Rapport de l'Archiviste de la Province de Québec*, tome 1934-1935.

Encyclopédie ou Dictionnaire raisonné des sciences, des arts et des métiers, nouvelle impression de la première édition de 1751-1780, Stuttgart, Bad Cannstatt Frommann, 1966-1967, tome 11, 963 p.

Furetière, Antoine, *Dictionnaire universel*, New York, Georg Olms Verlag, 1972, 3 vol.

Gazette de Québec, le 10 décembre 1767.

Jetté, René, *Dictionnaire généalogique des familles du Québec*, Montréal, P.U.M., 1983, 1176 p.

Juchereau de Saint-Ignace, Jeanne-Françoise, Regnard Duplessis de Sainte-Hélène, Marie-Andrée, *Les Annales de l'Hôtel-Dieu de Québec*, Québec, Hôtel-Dieu de Québec, 1939, 444 p.

Jugements et délibérations du Conseil supérieur de Québec, Québec, A. Côté, 1885-1891, 7 vol.

Pehr Kalm, *Voyage de Pehr Kalm au Canada en 1749*, Montréal, Pierre Tisseyre, 1977, 674 p.

La Hontan, Louis-Armand, *Voyages au Canada du baron de La Hontan*, Paris, Plon-Nourrit & Cie, Imprimeurs-Éditeurs, 1900, 338 p.

Langlois, Michel, *Dictionnaire biographique des ancêtres québécois*, Sillery, La maison des ancêtres inc., 1998, 3 vol.

Mandements, lettres pastorales et circulaires des évêques de Québec, par Mgr Têtu et C.-O. Gagnon, Québec, A. Côté, 1887.

Rapport de l'Archiviste de la Province de Québec: 1920-1921, 1922-1923, 1923-1924,1929-1930, 1930-1931, 1934-1935, 1951-1952.

Rituel du diocèse de Québec: publié par l'ordre de Mgr l'évêque de Québec, Paris, 1703, 671 p.

Roy, Pierre-Georges, *Inventaire des jugements et délibérations du Conseil supérieur de la Nouvelle-France*, Beauceville, L'Éclaireur, tome 4, 1934, 304 p.

Talbot, Ed. Allen, *Cinq années de séjour au Canada*, Paris, Boulland et Compagnie, 1825, tome 2, 323 p.

Talon, Jean, « Mémoire de Talon sur le Canada au ministre Colbert », *Rapport de l'Archiviste de la Province de Québec*, Québec, tome 1930-1931.

Tanguay, Cyprien, *Dictionnaire généalogique des familles canadiennes*, Montréal, Éditions Élysée, 1975, tome 4, 608 p.

Tanguay, Cyprien, *Répertoire général du clergé canadien* [microforme].

The Jesuit Relations and Allied Documents, Cleveland, Reuben Gold Thwaites, 1898, tome 27, 315 p.

Weld, Isaac, *Travels through the States of North America, and the provinces of Upper and Lower Canada*, Londres, Johnson Reprint Corporation, 1968, 2 tomes.

2. Études

Bertin, Claude, « Urbain Grandier », *Les grands procès de l'histoire de France*, Paris, Éditions de Saint-Clair, 1968, tome 18, 279 p.

Brock, Daniel J., «Edward Allen Talbot», *Dictionnaire biographique du Canada*, tome 7, p. 912-914.

Casgrain, H.-R., «L'ermite de Trois-Pistoles», *Bulletin de recherches historiques*, Lévis, tome 5, 1898, 383 p.

Charrette, Marie-Jean-D'Ars, «Marie-Françoise Giffard», *Dictionnaire biographique du Canada*, tome 1, p. 338.

Craig, G. M., «Isaac Weld», *Dictionnaire biographique du Canada*, tome 8, p. 1028.

De Cauzons, Th., «La magie contemporaine», *La magie et la sorcellerie en France*, Paris-Genève, Champion-Slatkine, 1984, tome 4, 724 p.

Dupré, Céline, «Marie-Élisabeth de La Morandière», *Dictionnaire biographique du Canada*, tome 3, p. 609-611.

Dupré, Céline, «Jean-Louis de La Corne de Chaptes», *Dictionnaire biographique du Canada*, tome 2, p. 341-342.

Eccles, W. J., «Augustin de Saffray de Mézy», *Dictionnaire biographique du Canada*, tome 1, p. 600-604.

Eccles, W. J., «Jacques-René Brisay de Denonville», *Dictionnaire biographique du Canada*, tome 2, p. 102-109.

Encyclopedia Universalis, « Jansénisme », Paris, 2002, tome 12, 1007 p.

Gagnon, Marcel-A., *La Lanterne d'Arthur Buies*, Montréal, Les Éditions de l'Homme, 1964, 253 p.

Gariépy, Raymond, « Louis-Gaspard Dufournel », *Dictionnaire biographique du Canada*, tome 3, p. 215-217.

Giguère, Georges-Émile, « Augustin-Louis de Glapion », *Dictionnaire biographique du Canada*, tome 4, p. 321-322.

Gosselin, Auguste, *L'Église du Canada*, Québec, Laflamme & Proulx, 1911, tome 1, 503 p.

Gosselin, Auguste, *Vie de Mgr de Laval*, Québec, Imprimerie de L.-J. Demers & Frères, 1890, tome 1, 671 p.

Grand dictionnaire universel du XIXe siècle, « Urbain Grandier », Genève-Paris, Slatkine, 1982, tome VIII, p. 1447.

Grand Larousse universel, « Jansénisme », Paris, 1991, tome 8.

Hamelin, Jean et Marcel, *Les mœurs électorales dans le Québec de 1791 à nos jours*, Montréal, Les Éditions du Jour, 1962, 124 p.

Horton, Donald J., « Claude-Michel Bégon de La Cour », *Dictionnaire biographique du Canada*, tome 3, p. 59-60.

Lachance, André, *La justice criminelle du roi au Canada*, Québec, P.U.L., 1978, 187 p.

Lanctot, Gustave, « Pierre Aigron dit Lamothe », *Dictionnaire biographique du Canada*, Québec, P.U.L., tome 1.

Leclerc, Laurent, *Les Grondines*, Grondines (s. éd.), 1980, 191 p.

Maheux, Arthur, « Henri de Bernières », *Dictionnaire biographique du Canada*, Québec, P.U.L., tome 1, p. 94-95.

Massey, Georges, « John McDougall », *Dictionnaire biographique du Canada*, tome 9, p. 535-538.

Massicotte, E.-Z., « Mis sous le voile », *Bulletin de recherches historiques*, Lévis, 1932, tome 38, 768 p.

Massicotte, E.-Z., « Procès à propos de pain bénit », *Bulletin de recherches historiques*, Lévis, tome 1940, p. 318-320.

Noppen, Luc, *Notre-Dame de Québec*, Québec, Éditions du Pélican, 1974, 283 p.

Ouellet, Gérard, *Ma paroisse Saint-Jean-Port-Joly*, Québec, Les Éditions des Piliers, 1946, 348 p.

Paquin, Michel, « Marguerite Duplessis », *Dictionnaire biographique du Canada*, tome 3, p. 219-220.

Parmentier, Francis, « Arthur Buies », *Dictionnaire biographique du Canada*, tome 13, p. 137-142.

Pelletier, Louis, *Le clergé en Nouvelle-France*, Montréal, P.U.M., 1993, 324 p.

Planiol, Marcel, *Traité élémentaire de droit civil*, Paris, F. Pichon Éditeur, 1904, tome 1, 1049 p.

Poirier, Jean, « James Cuthbert », *Dictionnaire biographique du Canada*, tome 4, p. 205-207.

Provost, Honorius, « Robert Giffard », *Dictionnaire biographique du Canada*, tome 1, p. 338-339.

Rodrigue, Denise, *Le cycle de Pâques au Québec et dans l'Ouest de la France*, Québec, P.U.L., 1983, 333 p.

Roy, Carmen, *Littérature orale en Gaspésie*, Montréal, Leméac, 1981, 444 p.

Roy, Jacqueline, « John Lambert », *Dictionnaire biographique du Canada*, tome 5, p. 519-520.

Roy, Pierre-Georges, « Les légendes canadiennes », *Cahiers des Dix*, Montréal, *Les Dix*, tome 1937, p. 45-92.

Roy, Pierre-Georges, « Les chicanes de préséances sous le régime français », *Cahiers des Dix*, Montréal, *Les Dix*, tome 1941, p. 66-81.

Séguin, Robert-Lionel, *La civilisation traditionnelle de l'habitant aux 17ᵉ et 18ᵉ siècles*, Montréal, Fides, 1967, 701 p.

Séguin, Robert-Lionel, *La sorcellerie au Québec*, Montréal, Leméac, 1971, 245 p.

Séguin, Robert-Lionel, *La vie libertine en Nouvelle-France au XVIIᵉ siècle*, Montréal, Leméac, 1972, tome 2, 571 p.

Surprenant, André, « Pierre-Joseph-Marie Chaumonot », *Dictionnaire biographique du Canada*, Québec, P.U.L., tome 1, p. 210-212.

Trudel, Marcel, *L'Église canadienne sous le Régime militaire 1759-1764*, Montréal, Institut d'histoire de l'Amérique française, 1956-1957, 2 tomes.

Trudel, Marcel, *L'esclavage au Canada français*, Québec, P.U.L., 1960, 432 p.

Trudelle, Charles, « Le pain bénit », *Bulletin de recherches historiques*, Lévis, juin 1992, tome 18, p. 162-172.

Voisine, Nive, « Georges-François Poulet, dit M. Dupont », *Dictionnaire biographique du Canada*, tome 2, p. 551-552.

Zoltvany, Yves F., « Louis-Hector de Callière », *Dictionnaire biographique du Canada*, tome 2, p. 119-122.

INDEX DES NOMS

TABLE DES MATIÈRES